LLÊN Y

GOLYGYDD: J. E. (

Y Ficer Prichard

Siwan Non Richards

GWASG PANTYCELYN

ISBN 1 874786 32 1

Dymuna'r cyhoeddwyr gydnabod yn ddiolchgar
gefnogaeth ariannol Cyngor Celfyddydau Cymru.

Argraffwyd gan Wasg Pantycelyn, Caernarfon

CYNNWYS

I
Timothy

RHAGAIR

Yr wyf yn ymwybodol iawn na allwn gyflawni'r gwaith hwn heb gymorth gan nifer o bobl. Mae arnaf ddyled arbennig i'r Athro D. Ellis Evans, Coleg Iesu, Rhydychen, am ei gyngor a'i gymorth cyson ac am ei gymwynasau caredig fel arolygwr fy nhraethawd ymchwil. Yr wyf yn ddyledus i Miss Eiluned Rees a Mr. Rhidian Griffiths, Llyfrgell Genedlaethol Cymru, am yr wybodaeth werthfawr a roesant i mi ar sawl achlysur. Mawr yw fy niolch hefyd i'r Athro Emeritws J. E. Caerwyn Williams am ei gyngor a'i hir amynedd wrth gaboli'r gwaith hwn. Yn olaf, hoffwn ddiolch i'm teulu am eu cefnogaeth a'u hanogaeth ddiflino, yn ôl eu harfer.

Y FICER PRICHARD

RHAGARWEINIAD: CYNULLEIDFA'R FICER

Meddai'r Ficer Prichard:

> Er mwyn helpu'r annyscedig
> Sydd heb ddeall ond ychydig
> Y cynnhullais hyn mor gysson:
> Mae gan eraill well Athrawon.

Yr oedd ganddo bwrpas penodol felly wrth gyfansoddi ei waith a chynulleidfa arbennig i gyfansoddi ar ei chyfer —'Er mwyn helpu'r annyscedig', meddai. Ac yn wir, nid heb ddeall natur ac anghenion cynulleidfa'r Ficer yn yr ail ganrif ar bymtheg y gallwn ni wir werthfawrogi ei waith.

Sut gymdeithas felly ydoedd y gymdeithas yng Nghymru'r ail ganrif ar bymtheg? Cyhoeddwyd astudiaethau manwl o'r cyfnod gan haneswyr.

Ar sail yr astudiaethau hyn cyfeiriaf yma'n fyr at rai o nodweddion y gymdeithas yng Nghymru'r ail ganrif ar bymtheg.

Yn ystod y ganrif cyn y Rhyfel Cartref 'roedd y bywyd Cymreig fwy neu lai'n gyfan gwbl wledig. 'Roedd Cymru mewn gwirionedd yn gasgliad o gymunedau bychain wedi'u gwahanu gan wahanfeydd daearyddol. O reidrwydd felly i drwch y boblogaeth 'roedd teithio wedi'i gyfyngu i'w milltir sgwâr.

Seiliwyd y gymdeithas gyn-ddiwydiannol ar system o hierarchaeth a ymestynnai o'r Brenin ar y pen i'r bobl dlotaf ar y gwaelod. Sail uchafiaeth oedd cyfoeth a thir nes bod y system gymdeithasol yn ffafrio'r bonedd. Yn wir, un o nodweddion amlycaf bywyd cymdeithasol yr unfed a'r ail ganrif ar bymtheg yw datblygiad y dosbarth o fonedd tirfeddiannol. Nodweddid y bonedd yma gan eu trachwant am dir; eu hagwedd groesawgar tuag at ddylanwadau Seisnig; eu balchder a'u cynnen. Agorodd y Ddeddf Uno lawer o ddrysau iddynt ym mywyd politicaidd, masnachol, crefyddol a diwylliannol Lloegr, a medrent fanteisio ar addysg y Prifysgolion Seisnig, a'r ysgolion a sefydlwyd yng Nghymru a Lloegr o ganol yr unfed ganrif ar bymtheg ymlaen. Amrywiai eu hagweddau tuag at eu tenantiaid — ac ni welai llawer ohonynt ddim o'i le ar gynyddu rhent yn ystod cyfnod o chwyddiant.

Islaw'r bonedd ar y raddfa gymdeithasol 'roedd yr aelodau hynny o'r gymdeithas y cyfeiria Dr. Geraint Jenkins (1983) atynt fel yr 'haenau canol' — y porthmyn, perchnogion siopau, cyfreithwyr, stiwardiaid, meddygon, athrawon, offeiriaid a masnachwyr. Nid oeddynt mor niferus â haenau isaf cymdeithas ond 'roeddynt yn ddylanwadol. Ychydig o wahaniaeth oedd yna rhwng y rhain a'r iwmyn. Erbyn diwedd yr ail ganrif ar bymtheg defnyddiwyd y term 'iwmýn' i ddisgrifio ffermwyr — bach a mawr.

Oddi tanynt ar y raddfa gymdeithasol 'roedd yna gorff sylweddol o lafurwyr — a dyma drwch y boblogaeth yn ystod y cyfnod hwn. Ni feddiannent unrhyw dir — 'roedd eu hamgylchiadau'n anghyffyrddus, tlawd a chyfyngedig. Yn ôl Dr. Geraint Jenkins (1983) erbyn cyfnod y Stiwardiaid diweddar perthynai rhwng traaean a chwarter y boblogaeth i haen y llafurwyr mewn cymdeithas.

Ar waelod y raddfa gymdeithasol 'roedd y tlodion — y gweision a'r cardotwyr a oedd yn anllythrennog ac yn ddi-eiddo heb fawr ddim hawliau yn y byd. Dibynnent ar elusen y bonedd.

Felly yn ystod y cyfnod hwn 'roedd yna ddicotomi cymdeithasol a andwyodd gymaint o'r bywyd Cymreig. Nodweddid Cymru gan ddiffyg arian, technoleg amrwd, cyfathrebu cyfyngedig, cynaeafau gwael a gormod o weithwyr heb grefft. Ychydig iawn o'r boblogaeth a drigai yn nhrefi bychain Cymru — y trefi a gysylltai'r cymunedau gwledig a'r newidiadau economaidd a chymdeithasol a dreiddiai'n araf i Gymru. 'Doedd gan Gymru fawr o ran sefydliadau cyfansoddiadol neu eglwysig annibynnol i feithrin a datblygu meddyliau mwyaf effro a bywiog y wlad.

'Roedd y ffaith fod y wasg argraffu mor hwyr yn cyrraedd Cymru yn anfantais arall — fe'i sefydlwyd yn Lloegr ers diwedd yr unfed ganrif ar bymtheg. Rhagdueddai hyn oll drigolion Cymru i lynu wrth eu hen ffyrdd cyfarwydd ac aros yn anwybodus, yn geidwadol ac yn ddifater. Gwelwn hyn yn arbennig ym maes crefydd yng Nghymru yn yr ail ganrif ar bymtheg.

Nid oedd y Diwygiad Protestannaidd wedi'i gyflwyno'i hun fel grym ysbrydol i'r Cymry ac ychydig o ymateb a ddangosent hwy i'r newidiadau a wnaethpwyd yn ystod degawd cyntaf teyrnasiad Elizabeth I. Yr ymateb mwyaf a gafwyd oedd cyfieithu'r Ysgrythurau a chynhyrchu corff o lenyddiaeth grefyddol yn y Gymraeg. Fodd bynnag, dibynnai llwyddiant y rhain i raddau helaeth ar ddwy ffactor — sef gradd llythrenogrwydd y Cymry eu hunain, a hygyrchedd y llyfrau a gyhoeddwyd. Lleihawyd llawer o werth y llenyddiaeth gan fod ei marchnad yn gyfyngedig a chan fod argraffu a dosbarthu llyfrau mor anodd. Cyfyngwyd ar ddylanwad hyd yn oed y Beibl Bach ym 1630, gan fod canran y boblogaeth a allai fforddio'r gost o'i brynu ac a fedrai'i ddarllen, yn fach iawn. 'Roedd ymhell o fod o fewn cyrraedd haen waelod y gymdeithas.

Er i offeiriaid a Llywodraeth oes Elizabeth ymdrechu rywfaint i godi safon effeithiolrwydd yr Eglwys, nid oedd yn ddigon i ddarparu'r arweiniad ysbrydol angenrheidiol i'r Cymry. Yn *Perl Mewn Adfyd* disgrifia Huw Lewys y clerigwyr fel 'Cwn heb gyfarth, clych heb dafodeu, ne gannwyll dan lestr'.

Mae disgrifiad yr Esgob Bayly ar ei ymweliad â Bangor yn 1623 yn llawn ailadrodd negyddol: 'But two sermons this twelvemonth . . .'; '. . . no quarterly sermons . . . this four or six years . . .'; '. . . no sermons at all'.

Ar lefelau isaf cymdeithas cymysgedd o arferion a chredoau poblogaidd oedd crefydd yn hytrach nag argyhoeddiad ac ymroddiad ysbrydol. Golygai anwybodaeth fod crefydd yn llawn credoau hanner paganaidd, hanner pabyddol. Ffynnai ofergoeliaeth — yn arbennig yn yr ardaloedd anghysbell gorllewinol. Goroesodd ymarferion megis ymswyno, sef gwneud arwydd y groes i gadw'r awr ddrwg draw; galw ar y saint a defod y ffynnon. 'Roedd presenoldeb ysbrydion, ellyllon a thylwyth teg yn real iawn i'r ofergoelus.

Yn ystod y cyfnod hwn yng Nghymru credid yn gyffredinol hefyd mewn gwrachyddiaeth a swyngyfaredd. Gwnaethpwyd aml wrach yn fwch dihangol ar adegau o galedi cymdeithasol ac economaidd. 'Roedd dewiniaeth a sêr-ddewiniaeth yn boblogaidd ymhlith nifer o'r Cymry o gyfnod Elizabeth ymlaen. Gelwid y dewin 'Y Dyn Hysbys' neu'r 'Gŵr Cyfarwydd' ac 'roedd gan bron pob pentref un o'r rhain. Eu prif swyddogaeth oedd cynnig gwybodaeth, cyngor a chysur yn arbennig ynglŷn â materion yn ymwneud â throsedd, iechyd a chariad. Yn yr ail ganrif ar bymtheg 'roedd sêr-ddewiniaeth yn hynod boblogaidd ac i drwch y boblogaeth nid oedd chwyldro gwyddonol y cyfnod wedi chwalu cosmoleg Aristoteles.

Yn wir, yn y cyfnod cyn y Rhyfel Cartref, ystyriai'r Piwritaniaid Gymru fel gwlad baganaidd ddu.

Mae yna berthynas rhwng stad grefyddol y bobl a'u haddysg. Golygai natur gyfyngedig y gymdeithas Gymreig fod y Cymry'n glynu wrth eu hen ffyrdd cyfarwydd o safbwynt iaith a llythrenogrwydd. Yn ystod y cyfnod hwn parhaodd mwyafrif y bobl i fod yn uniaith Gymraeg a gorfodwyd y llywodraeth a'r bonedd i ymgyfarwyddo â hyn. Yn y trefi marchnad ac mewn ardaloedd arbennig megis de Sir Benfro, Bro Morgannwg a rhai trefi ar y ffin yn unig yr oedd nifer arwyddocaol o siaradwyr Saesneg cymwys.

Yn y cyfnod hwn 'roedd trwch poblogaeth Cymru yn anllythrennog. Dywed awdur *Car-wr y Cymru* yn 1677:

> Eithr y mae un rhwystr mawr ar ffordd y Cymru a'r rai eraill, nid amgen nad oes yn holl Cymru ond ychydig a fedr ddarllein Cymraec; oddieithr yr Eglwys-wyr; A digon llesc ac anhyspys y medr rhai o'r rheini ddarllein eu hiaith eu hun . . .

Rhwng canol yr unfed ganrif ar bymtheg a chanol yr ail ganrif ar bymtheg cyhoeddwyd nifer sylweddol o lyfrau

Cymraeg a manteisiodd nifer o Gymry ar yr ysgolion Tuduraidd newydd. Fodd bynnag, anelwyd y llyfrau a'r ysgolion hyn at haenau canol a bonedd y gymdeithas.

Dangosodd haneswyr fod perthynas amlwg rhwng hierarchaeth gymdeithasol a llythrenogrwydd yn y Gymru gyn-ddiwydiannol. Cyfeiria haneswyr at dair haen o safbwynt llythrenogrwydd yn y cyfnod hwn.

'Roedd yr haen gyntaf yn cynnwys y bonedd, yr uwch-offeiriaid, y cyfreithwyr, gwŷr proffesiynol eraill a masnachwyr cefnog. Gallai'r rhain ddarllen mwy nag un iaith — Lladin a Saesneg yn arbennig — yn ogystal â Chymraeg. Manteisient ar y cyfle i gael eu haddysgu mewn ysgolion gramadeg a phrifysgolion.

Perthynai tua chwarter y boblogaeth i'r ail haen, gan gynnwys y bonedd llai, yr iwmyn a'r rhydd-ddeiliaid, y prif denantiaid a'r offeiriaid llai dysgedig. Ychydig o'r rhain a dderbyniai addysg ffurfiol a phrin oedd eu gwybodaeth o unrhyw iaith ar wahân i'r Gymraeg. Fodd bynnag, ymddengys y medrai llawer ohonynt ddarllen Cymraeg.

I'r drydedd haen y perthynai trwch y boblogaeth — y tenantiaid, y tyddynwyr, y crefftwyr, y llafurwyr a'r tlodion. 'Roedd mwyafrif llethol y rhain yn anllythrennog ac yn rhy dlawd i fforddio prynu llyfrau. Ni chawsant y cyfle i ddysgu darllen ychwaith gan fod eu hamgylchiadau'n eu hamddifadu o'r amser hamdden a'r preifatrwydd i wneud hynny. Fe'u cyflyrwyd i gredu fod llyfrau yn ddianghenraid.

Yng nghyd-destun llythrenogrwydd ac anllythrenogrwydd rhaid cofio pwysigrwydd y traddodiad llafar yn y Gymru wledig, gymunedol, gyn-ddiwydiannol. Cymdeithas ydoedd a ddibynnai'n bennaf ar y glust ac nid ar y llygad a chynigiai'r traddodiad llafar ddigon o safbwynt adloniant, gwybodaeth ac amrywiaeth i fodloni'r anllythrennog.

Y FICER PRICHARD A'I BWRPAS

Yn erbyn y cefndir yma y saif Rhys Prichard. Clerigwr a bardd ydoedd a anwyd yn Llanymddyfri, Sir Gaerfyrddin, ym 1579. Nid oes gennym lawer o wybodaeth am ei fywyd cynnar a'i addysg ond gwyddom iddo fynd i Goleg Iesu, Rhydychen, ym 1597. Gweinidogaethodd am amser byr yn swydd Essex, ac ym 1602 cafodd fywoliaeth Llanymddyfri. Ym 1614 fe'i penodwyd yn gaplan i Robert, Iarll Essex. Daeth yn brebendari Coleg Crist, Aberhonddu, ac yn ganghellor ac, yn ddiweddarach, yn ganon esgobaeth Tŷddewi. Bu farw ym 1644.

Felly dyma ficer Anglicanaidd a gydymdeimlai â'r Piwritaniaid (er na fentrodd wrthryfela yn erbyn y Brenin ym 1642) yn wynebu'r dasg o ddarparu hyfforddiant ysbrydol a moesol i drwch poblogaeth annysgedig Cymru. I'r pwrpas hwn y cyfansoddodd ei benillion niferus sy'n adnabyddus i ni fel cyfrol o gerddi o'r enw *Canwyll y Cymry*. Cyfrol ydyw sy'n cynnwys pedwar categori o gerddi — cerddi litwrgïaidd, megis y rheini'n adrodd Gweddi'r Arglwydd a'r Deg Gorchymyn; cerddi cynghorol, megis y rheini'n estyn cyngor i'r meddwyn a'r claf, a'r rheini sy'n ymosod ar arferion Pabyddol; cerddi teuluaidd, megis y gweddïau ar gyfer gwahanol adegau o'r dydd; a cherddi cymdeithasol, megis y rheini am gynaeafau gwlyb a thlodi a chyflwr truenus y wlad yn gyffredinol.

Prif bwrpas y Ficer Prichard oedd taenu athrawiaethau canolog y Diwygiad mewn ffordd ddealladwy a phoblogaidd ymysg yr annysgedig yn yr ail ganrif ar bymtheg yng Nghymru. Ei brif ystyriaeth oedd bod yn ddealladwy. Mae deall hyn yn gwbl allweddol i werthfawrogiad beirniadol o *Canwyll y Cymry*.

Deallai'r Ficer natur ac anghenion ei gynulleidfa. 'Roedd yn gwbl ymwybodol o ddiffygion crefyddol y gymdeithas anwybodus, geidwadol a difater a oedd o'i gwmpas. Meddai:

Ymbescu ar bechod, fel môch ar y Callod
Ymlanw ar ddiod, fel uchen ar ddwr,
Ymdroi mewn putteindra, fel perchill mewn llacca
Yw'n crefydd, heb goffa cyfyngdwr.

'Roedd y Ficer hefyd yn gwbl ymwybodol o natur anllythrennog ei gynulleidfa. Meddai:

Pob merch tincer gyda'r Saeson,
Feidir ddarllain llyfrau Mawrion:
Ni wyr merched llawer scwier,
Gyda ninne ddarllain pader.

Gwradwydd tost sydd i'r Brittanniaid
Fôd mewn crefydd mor ddieithriaid,
Ac na wyr y canfed ddarllain
Llyfyr Duw'n ei jaith ei hunain.

Sylweddolai'r Ficer fod yna ddiffyg deunydd darllen crefyddol addas i drwch y boblogaeth. Meddai:

Mae'r Cobleriaid ai morwynion,
Ar rhai gwaetha 'mysc y Saeson,
Bob yr un a'r bibl ganthynt,
Dydd a nos yn darllain ynddynt.

Mae Pennaethiaid gyda ninnau
Ai tableri ar ei bordau
Heb un Bibl, nac un pylgain,
Yn eu tai, na neb i darllain.

Ymhellach, gwerthfawrogai'r Ficer fod y gymdeithas Gymreig yn un a ddibynnai'n bennaf ar y glust ac nid ar y llygad. Felly, o weld cyfyngiadau'r deunydd print sylweddolodd ef mai'r dull mwyaf effeithiol o ledaenu gwirioneddau'r Diwygiad fyddai drwy drosglwyddo ar lafar, ar ffurf penillion poblogaidd, ddeunydd Beiblaidd, moesol, a litwrgïaidd.

CANWYLL Y CYMRY — Y CEFNDIR LLAFAR

Mae yna duedd i anwybyddu *Canwyll y Cymry* am ei fod yn ddinod ac yn amrwd yn nhermau rhagoriaeth academaidd a barddol. Y rheswm mwyaf tebygol am yr anwybyddu yma yw nad yw gwaith y Ficer wedi'i werthfawrogi fel barddoniaeth sydd yn ei hanfod yn farddoniaeth lafar.

Nid bwriad pennaf Rhys Prichard oedd i'r Cymry ar ddechrau'r ail ganrif ar bymtheg ddarllen ei gerddi mewn ffurf argraffedig. Yn wir, buasai anwybyddu'r cefndir llafar i benillion *Canwyll y Cymry* yn gysytyr â chamddeall eu pwrpas a'u gwir arwyddocâd.

Wrth ystyried *Canwyll y Cymry* fel barddoniaeth lafar cyfyd nifer o gwestiynau. Mae'n rhaid gofyn ym mha ystyr y mae'r cerddi yn rhai llafar. Yn wir, mae'r term 'barddoniaeth lafar' yn aml iawn yn un cymharol ac amwys.

Mae cydymweithio rhwng ffurfiau llafar a ffurfiau ysgrifenedig yn gyffredin iawn. Gall cerdd, er enghraifft, gael ei chyfansoddi ar lafar ac yna ei throsglwyddo yn ddiweddarach yn ysgrifenedig neu fel arall.

Arddengys *Canwyll y Cymry* yn hynod drawiadol gydymweithio rhwng y llafar a'r ysgrifenedig a dylanwad y naill ar y llall. Mae cychwyn gyda'r testun ysgrifenedig, gyda'r ffenomen eilradd fel petai, a cheisio edrych heibio i hwnnw i'r cefndir llafar, i'r brif ffenomen, yn dod â ni wyneb yn wyneb â llu o gwestiynau parthed perthynas y testun llafar a'r testun ysgrifenedig. Beth oedd effaith treigl amser rhwng y cyfnod o gyfansoddi a'r cyfnod o argraffu? Beth oedd effaith cof ffaeledig? I ba raddau y newidiwyd y testun gan y broses o ysgrifennu ac argraffu?

Ym mha ffyrdd yr effeithiwyd y gwaith gwreiddiol gan amrywiol farnau ac agweddau'r gwahanol olygyddion? A chymhwyso'r cwestiynau hyn i *Canwyll y Cymry* ni allwn ond dyfalu, i raddau, nifer o'r atebion.

Credir i'r Ficer gyfansoddi mwyafrif ei gerddi rhwng 1615 a 1635, pan oedd rhwng 36 a 56 mlwydd oed. Copïwyd rhai o'i gerddi mewn llawysgrifau. Dywed D. Gwenallt Jones yn ei lyfr ef am y Ficer:

> Copïwyd rhai o gerddi'r Ficer mewn pedair llawysgrif . . . yn B.M. Add. 14, 893 [B.M. 37], . . . B.M. Add. 14, 973 . . ., Peniarth 115 . . ., a Llansteffan 37 . . . Gwelir felly, fod pum llawysgrif o gerddi'r Ficer wedi eu hargraffu:- (1) llawysgrif Evan Pugh o Landingad, (2) llawysgrif Roger Manwaring, (3) llawysgrif Gruffydd Jones, Llanddowror, (4) llawysgrif Aberhonddu a ddarganfu Rhys Thomas, (5) llawysgrif Robert Powel, Llangatwg, a aeth yn eiddo i Daliesin ap Iolo.

Yn ei ragymadrodd i *Canu Rhydd Cynnar*, noda T. H. Parry-Williams fod rhai o gerddi'r Ficer yn ymddangos yn Llanover E.16. 'Rwy'n ddyledus i Miss Eiluned Rees a'm cynghorodd fod B.L. Add. MS 14, 886 yn cynnwys cerdd gan Rhys Prichard.

Ymddengys, felly, fod o leiaf chwe llawysgrif yn cynnwys gwaith gan awdur *Canwyll y Cymry*. Y llawysgrifau yw: Llanstephan 37; Peniarth 115 D; NLW Add. MS 13178 B [Llanover E 16]; B.L. Add. MS 14, 886; B.L. Add. MS 14, 973; a B.L. Add. MS 14, 893 [B.L. 37].

Mae'r cwestiynau ynghylch y berthynas rhwng un llawysgrif a'r llall a rhwng y llawysgrifau ac argraffiadau o *Canwyll y Cymry* yn rhai cymhleth. Noda D. Gwenallt Jones rai cwestiynau na ellir mo'u hateb:

> A wnaeth y Ficer newid a thrwsio ei gerddi, ac ychwanegu atynt? Dwedodd Stephen Hughes mai ei 'feddyliau cyntaf' a gafwyd yn y 'Toriadau garw' yn llawysgrif Evan Pugh, ac mai cerddi wedi eu gorffen a'u paratoi i'r Wasg oedd llawysgrif Roger Manwaring. A oedd y Ficer wedi ychwanegu rhagor o benillion eto at rai cerddi yn llawysgrif Rhys Thomas? Ni ellir gwybod am nad yw'r llawysgrif ar gael.

Ffaith a wyddom yw nad argraffwyd unrhyw beth o waith y Ficer (ac eithrio un gerdd) yn ystod ei fywyd.

Cyhoeddwyd y gerdd 'Cyngor Episcob' yn *Y Catechism neu athrawiaeth Gristionogawl*, yn Llundain ym 1617. Enw'r gerdd yw 'Cynghorion duwiol' yn *Canwyll y Cymry*. Yn ei 'Bibliographical Note on Early Editions of Canwyll y Cymry', noda Eiluned Rees:

> Of the first edition, all we can say with confidence is that it appeared during or before 1658.

— hynny yw, bedair blynedd ar ddeg wedi iddo farw. Nid oes yr un copi o'r argraffiad hwn ar gael. Ym 1659 argraffwyd rhan 1 a 2 gan Thomas Brewster, a thair blynedd ar ddeg yn ddiweddarach — ym 1672 — argraffwyd y gyfrol gyflawn am y tro cyntaf, dan gymhelliad Stephen Hughes. Fe'i hargraffwyd yn Llundain, a dyma'r cyntaf i ddwyn y teitl *Canwyll y Cymru* ar ei ddalen flaen.

Rhwng 1660 a 1730, ac eithrio'r Almanac Cymraeg, nid argraffwyd yr un gwaith arall gynifer o weithiau â *Canwyll y Cymry*. Ymddangosodd pedwar argraffiad ar ddeg rhwng 1658 a 1730. Yn ôl y catalog o argraffiadau a nodir yn *Libri Walliae I*, gwelwyd pum deg a dau argraffiad o *Canwyll y Cymry* cyn 1820. Ymranna'r argraffiadau o'r gwaith yn naturiol i dair rhan a gynrychiolir gan y lleoedd yr argraffwyd hwy ynddynt. Cyfyngwyd y gwaith o gyhoeddi yn ystod y cyfnod cyntaf (yn diweddu ym 1696) i Lundain; i Amwythig yn ystod yr ail gyfnod (yn diweddu ym 1766), gyda rhai eithriadau; ac i Sir Gâr — trefi Llanymddyfri a Chaerfyrddin — yn ystod y trydydd cyfnod (yn diweddu ym 1867).

Ymddengys cryn amrywiaeth yn y testun yn y gwahanol argraffiadau a chyfeiria golygyddion a chyhoeddwyr at y ffaith fod y testun wedi'i adolygu. Er enghraifft, darllenwn sylwadau tebyg i'r isod a wnaed gan Stephen Hughes wrth ochr y gerdd a elwir 'Dyled-swydd Gweinidogion' yn argraffiad 1681 o'r gwaith:

> This poem is collected out of the Authors rough draught. Some things are omitted because the copy is illegible. It's pitty that the transcript cannot be found.

Yn eu rhagarweiniad i argraffiad 1841 o *Canwyll y Cymry*, dywed y cyhoeddwyr:

> Argraphwyd y llyfr hwn gyntaf, yn bedair Rhan, yn Llundain dan olygiad y parch Stephen Hughes, yn y flwyddyn 1672 . . . hwnnw yw y goreu a'r cywiraf o'r holl argraphiadau boreuol; oblegid, yn argraphiadau yr Amwythig, nid yn unig ychwanegwyd llawer o ganau nad ydynt o gyfansoddiad y Ficer, ond hefyd goddefwyd i feiau aneirif ymlusgo i'r gwaith; etto, yn ol cynllun yr Amwythig y mae yr argraphiadau diweddaraf wedi eu dwyn allan.
>
> Yn y flwyddyn 1770, cyhoeddwyd argraphiad newydd o'r Llyfr hwn yn Llanymddyfri, gan Rhys Thomas, yr hwn a ddywed ei fod wedi cael y llyfr colledig y sonia Mr. Hughes am dano . . . o herwydd bod hwn yn gyflawnach nag un o'r lleill, defnyddiwyd ef fel cynllun o'r argraphiad presennol; ond buwyd yn dra gofalus i ddiwygio y gwallau lliosog a adawodd efe, yn enwedig yn y cyfeiriadau ar ymyl y dail. Gwnaed hefyd ychydig o gyfnewidiad yn llythyraeth y geiriau, i'w dwyn yn nes at y dull presennol o ysgrifennu . . .

Mynn D. Gwenallt Jones yn ddibetrus:

> Ond y mae un peth yn eglur. Ysgrifennodd y Ficer ei gerddi fel y'u hargraffwyd hwy yn argraffiad 1681, a [darfod] dewis yr argraffiad cyflawnaf o gerddi'r Ficer gan Stephen Hughes, ac yn *Lloffion* 1756, gan Ruffydd Jones, am fod iaith y cerddi hyn yn perthyn i'r un cyfnod â'r cwndidau a'r 'Canu Rhydd Cynnar'. Argraffiad 1681 ac argraffiad 1756 yw'r ddau argraffiad cywiraf o gerddi'r Ficer. Diweddarwyd yr iaith yn argraffiad 1770 ac argraffiad 1841.

Â Gwenallt Jones ymlaen i ddangos y gwahaniaethau rhwng argraffiadau 1770 a 1841 o *Canwyll y Cymry* ar y naill law, ac agraffiad 1681 ar y llaw arall, gan ddyfynnu rhai enghreifftiau o'r testunau, megis:

> Ac a chydcam wneuthur temel
> Yspryd Duw yn wâl i'r cythraul,

yn argraffiadau 1770 a 1841, o'i gymharu â:

> Ac a chytcam wneuthur temel
> Yspryd Duw yn wâl i'r cythrel,

yn argraffiad 1681. Enghraifft arall a ddyfynnir gan Gwenallt Jones yw hon:

Nid wyt nês, er dillad twym-glyd,
I guddio'r cnawd, i attal anwyd,
Oni bai it' gael pilyndod,
I attal bai, i guddio pechod,

yn argraffiadau 1770 a 1841, o'i gymharu â'r canlynol yn argraffiad 1681:

Nid wyt nes er Dillad twymglyd,
I guddio cnawd, i ddyor anwyd,
Oni bae it gael pilynod
I ddyor bai, i guddio pechod.

Mae'r amrywiadau hyn yn sicr o fod yn broblematig pan fo'n rhaid dewis testun fel sail i astudiaeth o nodweddion cerddi *Canwyll y Cymry*. Buasai'n amhriodol ceisio dadlau'r dros 'ddilysrwydd' un argraffiad o *Canwyll y Cymry* gan y buasai hyn yn cyfyngu ar ein canfyddiad o'r traddodiad llafar — traddodiad lle mae pob argraffiad yn 'gywir' ynddo'i hun, yn ei gyd-destun ei hun, fel adlewyrchiad o'r sylfaen lafar i'r farddoniaeth.

Wedi cymharu gwahanol argraffiadau o *Canwyll y Cymry* ymddengys imi mai argraffiad 1681 sy'n adlewyrchu orau y testun llafar gwreiddiol, ac o'r argraffiad hwn y dyfynnir yn y drafodaeth hon.

Cuddia'r orgraff yr ynganiad llafar yn aml, a dewiswyd argraffiad 1681 gan fod ei orgraff yn adlewyrchu'n amlwg y nodweddion seinyddol llafar. O'i gymharu ag argraffiad 1770, er enghraifft, sef yr argraffiad cyflawn cyntaf i'w gyhoeddi yng Nghymru, gwelir ei fod yn adlewyrchu canran uwch o nodweddion llafar. Mae'r defnydd o'r terfyniadau tafodieithol *-wys/-ws*, er enghraifft, yn llawer mwy niferus yn argraffiad 1681 nad ydyw yn argraffiad 1770. Ym mhedair cerdd ar hugain cyntaf argraffiad 1681 mae wythdeg enghraifft o'r terfyniadau tafodieithol o'u cymharu ag wyth ar hugain enghraifft yn y penillion cyfatebol yn yr argraffiad diweddarach. Dengys y penillion canlynol y gwrthgyferbyniad yma:

Yr Ange haeddasom, fe'i *talwys* ef drosom,
A'r dyled adawsom heb gwpla:
Ein scrifen fe *dorrwys*, a'r fforffed fe *dalwys*,
A'n pardwn fe'i *prynwys* o'r pritta. (1681)

Yr angeu 'haeddasom. fe'i *talodd* ef drosom,
A'r ddyled 'adawsom heb gwpla;
Y 'sgrifen fe'i *torrodd*, y fforffet fe'i *talodd*;
A'n pardwn fe'i *prynodd*, o'r prytta. (1770)

Eto dangosir y nodwedd lafar o symleiddio deuseiniaid yn sylweddol fwy yn argraffiad 1681 nag yn argraffiad 1770. Er enghraifft, yn y cwpledi canlynol:

Mae'r Ang*e* glâs ynt*e* yn dilyn ein sodl*e*,
Ai ddart ac ai saeth*e*, fel lleidir disôn. (1681)

Mae'r Ang*au* glâs ynt*au*, yn dilyn ein sodl*au*,
A'i ddart, ac â'i saeth*au*, fel lleidir di-sôn. (1770)

Dengys yr enghreifftiau canlynol wahaniaethau pellach rhwng y testunau:

Cais gan Grist ei ail ddillattu,
Onis ceisij'n suwr di fythu. (1681)

Cais gan Grist ei ail ddilladu,
Oni's ceisi'n siwr di fythu. (1770)

Yn argraffiad 1681 gwelwn galediad y gytsain 'd' yn 'dillattu', a'r ffurf dafodieithol 'suwr'. Eto yn yr un gerdd:

Y nêb a gretto yn-Grist yn gywyr,
Fe gaiff hwnnw ei gadw yn siccir. (1681)

Y neb a gredo Yng Nghrist, yn gywir,
Fe gaiff hwnnw ei gadw'n siccr. (1770)

Yn y cyntaf gwelwn galediad 'd' yn 'cretto'; diffyg treiglad trwynol yn 'yn-Grist' ac enghraifft o nodi llafariad epenthetig yn y ffurf 'siccir'.

Dyma enghreifftiau pellach:

Ar dy ford tra fech yn bwytta. (1681)

Ar dy Fwrdd tra fech yn bwytta. (1770)

Gwell gan y cyntaf y ffurf dafodieithol 'bord' tra bo'r ail yn mabwysiadu 'bwrdd'.

Enghraifft arall yw defnydd argraffiad 1681 o'r ffurf dafodieithol 'prîd' yn hytrach na 'drud':

> Am i Grist mor brîd dy Brynu. (1681)
>
> Am i Grist mor ddrud dy brynu. (1770)

Nid amrywiaeth y testun yn yr argraffiadau gwahanol yw'r unig fater problematig. Cyfyd cwestiynau ynglŷn â sut y cyfansoddwyd, y perfformiwyd ac y trosglwyddwyd gwaith y Ficer, ac nid oes gennym atebion sicr i'r cyfan. Gwyddom i benillion y Ficer gael eu trosglwyddo ar dafod leferydd am genedlaethau cyn iddynt ymddangos mewn ffurf argraffedig. Fodd bynnag, mae'n rhaid inni holi i ba raddau, os o gwbl, y trosglwyddid y penillion yma mewn ffurf ysgrifenedig cyn eu hargraffu?

Yn yr adran ar hanes bywyd Rhys Prichard yn *Canwyll y Cymry* 1888, dywedir:

> Mae yn ymddangos mai y peth cyntaf a gyfansoddodd y Ficer oedd Carolau Nadolig i'w canu yn yr Eglwys. Daeth y bobl yn hoff iawn o honynt, ac i ymgasglu yn lluoedd i'w gwrando. Yn raddol, wrth weled y fath anwybodaeth yn ffynu ym mysg y werin, a gweled fod rhywbeth ar ffurf caneuon mor dderbyniol ganddynt, dechreuodd droi ei bregethau ar gân, eu hargraffau yn ddalenau, a'u rhoddi i'w wrandawyr i'w dysgu. Yr oeddynt yn y dull hwn yn llawer mwy derbyniol nag oddi ar ei wefus ef o'r pwlpud. Felly ymroddodd ati i gyfansoddi. Fel hyn y daeth 'Canwyll y Cymru' neu fel y gelwid ef gan y werin, 'Llyfr y Ficer', i fodolaeth.

Cyfeiria'r Ficer at y ffaith iddo ysgrifennu nifer o'i gerddi gyda'r bwriad o'u dosbarthu ymhlith y Cymry ar ffurf 'llyfran' â'r enw 'Canwyll Cymro'. Ei eiriau agoriadol i'r gerdd 'Llythyr arall at y Darllenwr fel y mae'n debygol' ar ddechrau *Canwyll y Cymry* yw:

> Gogoniant Duw a llês Brittaniaid,
> Canlyniad Ffryns, a gwaedd y gweiniaid,
> Y wnaeth printio hyn o lyfran,
> A'i roi rhwngoch Gymru mwyn-lan.

Er i'r awdur ysgrifennu llawer o'i gerddi a'u trosglwyddo, i ryw raddau, ar ffurf ysgrifenedig, rhaid cofio stad anllythrennog ei gynulleidfa a bod darllen hefyd yn weithgarwch llafar. Arferai'r bobl ddysgu llawer drwy wrando ar eraill yn darllen yn uchel. Deuai'r anllythrennog a'r llythrennog at ei gilydd mewn grwpiau darllen anffurfiol.

Felly, hyd yn oed pan ymddangosodd penillion y Ficer mewn print ar ffurf *Canwyll y Cymry*, y tebygrwydd yw iddynt gael eu darllen yn uchel i gynulleidfa anllythrennog a fyddai, yn ei thro, yn eu cadw ar gof a'u trosglwyddo ar lafar i eraill.

Sut y cyfansoddodd y Ficer ei gerddi? A gyfansoddodd y penillion cyn eu perfformio neu yn fyrfyfyr yn ystod y perfformiad? Pa le a oedd i addasiad ar y pryd yn y broses o gyfansoddi?

Nid yw'n bosibl cynnig atebion pendant i'r cwestiynau uchod ynglŷn â natur a gwaith cyfansoddi'r penillion. Nid yw presenoldeb dyfeisiau mnemonig yn arwydd sicr o addasiad ar y pryd na chyfansoddi byrfyfyr gan fod iddynt eu defnydd i'r gwrandawr yn ogystal ag i'r perfformiwr. Fodd bynnag, yn 'Oriau Gyda Hen Ficer Llanymddyfri' yn *Y Traethodydd* yn 1846 cyfeirir at achos lle cyfansoddodd y Ficer benillion yn fyrfyfyr:

> Dywedir i'r Ficer unwaith gael gan offeiriad cymydogaethol weinyddu yn ei le ef, pan yr ydoedd o herwydd afiechyd, neu ryw analluogrwydd arall, yn methu cyflawni y gwaith ei hun; ond yr offeiriedyn hwnw, gan garu esmwythder, a ommeddodd gyflawni y deisyfiad. Mewn canlyniad, Mr. Prichard yn ddifyfyr a adroddodd y penillion canlynol, ac eraill o'r un natur:
>
> Ni wneir dim â chi cysgadur,
> Ni wneir dim â gweision segur,
> Ni wneir dim â halen diflas,
> Ni wneir dim â 'ffeiriad llanas.
>
> Fe wneir gwaith â hen farch tywyll,
> Fe wneir tân o hen dŷ candryll,
> Fe wneir peth â chrochan tyllog,
> Ni wneir dim â 'ffeiriad diog.

Gan wybod i'r Ficer gyfansoddi rhai penillion ar bapur cyn eu perfformio, mae'n debyg fod y cof a darllen wedi chwarae rhan yn eu perfformiadau llafar.

A beth am natur perfformiad y penillion — cyn ac ar ôl

eu hargraffu? Rhaid gofyn beth oedd cyd-destun y perfformiad a beth oedd rôl y gynulleidfa yn y perfformiad?

Unwaith eto nid oes gennym atebion sicr. Y tebygrwydd yw i'r gynulleidfa, yn ogystal â gwrando, gymryd rhan flaenllaw yn ystod y perfformiadau gan ailadrodd penillion ar ôl yr adroddwr, ac efallai adrodd neu lafarganu rhai a ddysgwyd eisoes. Ni allwn ond dyfalu i ba raddau y cenid penillion y Ficer yn ystod rhai perfformiadau. Dywed y Ficer ei hun:

> Abergofi pûr Bregethiad,
> Dyfal gofio ofer Ganiad,
> A wnaeth im droi hyn o werseu,
> I chwi'r Cymru yn ganiadeu.

Wrth gwrs, mae defnydd y Ficer o'r gair 'caniadeu' yn amwys yma — gall olygu cerddi yn ogystal â chaneuon. Cyfeiria Gwenallt Jones at y ffaith y cenid penillion:

> Gwelodd [Rhys Prichard] y gallai ei chyrraedd hi [y werin] drwy lunio geiriau ar y ceinciau a genid mewn tafarn a ffermdy, ceinciau'r delyn, y crwth a'r pibau. Hwyrach fod gan y Ficer delyn ei hun; . . . Onid oedd gan y Ficer delyn yr oedd ceinciau telynau a chrythau gwylmabsant, twmpath chwarae a noson lawen yn canu yn ei ben. Tinc y pennill telyn sydd yn llawer o'i benillion. Adeilada bennill fel y penilliwr telyn . . . Ei amcan oedd llunio caneuon cofiadwy, gafaelgar a chanadwy fel Ceiriog yn y ganrif ddiwethaf, ond nid i'r un pwrpas . . .

Yn 'Hanes Bywyd y Parch. Rhys Prichard' yn *Y Seren Foreu neu Ganwyll y Cymry* yn 1858, dywed Rice Rees:

> . . . efe a gyfansoddai Gerddi duwiol i'w canu yn yr Eglwys, yr hyn a ddenai y dynion ieuaingc i adael eu campiau, ac ymgymmysgu â'r gynulleidfa er mwyn clywed y canu.

Fodd bynnag, cwestiyna Gwenallt Jones y cyfeiriad yma at ganu penillion yn yr Eglwys gan ddweud:

> . . . eithr ni ellir bod yn sicr o hyn, ar wahân, wrth gwrs, i'r Carolau Nadolig . . .

Yn ei ragymadrodd i argraffiad 1659 o *Canwyll y Cymry*, rhybuddia Stephen Hughes ei ddarllenwyr fel hyn:

Darllenwch gan hynny mewn parch ag ofn (Canys iw darllain, ag nid iw canu y printiwyd y pethau ymma . . .

Dengys y sylwadau uchod gan awduron a golygyddion na allwn fod yn sicr a genid penillion y Ficer ai peidio, ac os do, i ba raddau ac ym mha gyd-destun y gwnaethpwyd hynny. Yn y sylwadau hyn, ar wahân i'r cyfeiriad amlwg gan Stephen Hughes at y gyfrol argraffedig, nid yw'r awduron yn gwahaniaethu'n glir rhwng y penillion cyn ac ar ôl eu cyhoeddi ac nid ydynt, o'r herwydd, yn nodi a ydynt yn cyfeirio at natur y perfformiad yn ystod bywyd y Ficer ynteu ar ôl marw'r Ficer. Ymddengys fod Gwenallt Jones a Rice Rees yn cyfeirio at berfformiad y penillion yn ystod bywyd yr awdur — cyn iddynt ymddangos yn eu ffurf argraffedig fel *Canwyll y Cymry*. Fodd bynnag, gellir priodoli eu sylwadau i berfformiad y gwaith ar ôl ei argraffu yn ogystal. Er bod Gwenallt Jones yn derbyn fod penillion y Ficer wedi'u cyfansoddi er mwyn eu canu, cwestiyna sylw Rice Rees eu bod i gyd i'w canu yng nghyd-destun gwasanaeth eglwysig.

Felly mae'r dystiolaeth eilradd yn anghyson ac amwys ac mae hyn, yn anffodus, oherwydd fod y dystiolaeth gynradd ei hun yn brin — yn wir, bron yn gyfan gwbl absennol. Ni chasglwyd ac ni chyhoeddwyd melodïau Cymreig tan y ddeunawfed ganrif, felly nid oes gennym unrhyw dystiolaeth uniongyrchol am donau o'r ail ganrif ar bymtheg.

Gan y dysgid y tonau gan mwyaf wrth wrando'n unig arnynt ac nid o gopïau ysgrifenedig, 'roedd sawl amrywiad ohonynt. Mae'n amhosibl, felly, brofi union oed unrhyw hen dôn draddodiadol ac, o ganlyniad, ni allwn ond awgrymu ddarfod canu penillion y Ficer i donau penodol.

Yn 'Per-Seiniau' — un o'i gasgliadau o felodïau Cymreig traddodiadol — dyfynna John Jenkins ('Ifor Ceri') dôn o'r enw 'Hen Dôn Llyfr Ficer' ynghyd â cherdd Rhys Prichard, 'Carol Nadolig', yn gysylltiedig â hi. Ymddengys y dôn fel rhif deunaw ar dudalen un ar hugain o Lawysgrif Llyfrgell Genedlaethol Cymru, 1940 Aii. Yn ei erthygl, sy'n dwyn y teitl 'Melus-Seiniau Cymru', yn *Canu*

Gwerin, Cyfrol 8, esbonia Daniel Huws fod Llawysgrif Llyfrgell Genedlaethol Cymru, 1940 Aii yn cynrychioli dwy gyfrol wahanol gan Ifor Ceri, sef 'Melus-Seiniau Cymru' yn Llawysgrif Llyfrgell Genedlaethol Cymru, 1940 Ai a 'Per-Seiniau Cymru' yn Llawysgrif Llyfrgell Genedlaethol Cymru, 1940 Aii. Awgryma Daniel Huws ymhellach ddarfod cyfansoddi y rhan fwyaf o'r gyfrol gyntaf yn ystod y cyfnod 1817-20 — 'Ond bod ychwanegu ati hyd 1825'; a darfod cyfansoddi'r ail ym 1824-5. Ymddengys 'Hen Dôn Llyfr Ficer' yn 'Per-Seiniau Cymru'. Ar dudalen gyntaf y gwaith hwn, sy'n cynnwys cant ac un o alawon, gwelwn y pennawd:

> Adran II. Yn cynnwys Tonau Cyfaddas i Destynau difrifol.

Nodir 'Hen Dôn Llyfr Ficer' fel â ganlyn:

Mewn erthygl am donau carolau a baledi'r ail ganrif ar bymtheg a'r ddeunawfed ganrif yn *Journal of the Welsh Folk-Song Society*, cyfrol II (1914-25), dyfynna J. Lloyd-Williams hen faled o'r ail ganrif ar bymtheg, o ffynhonnell y cyfeiria ati fel '*Blodeugerdd*, 1756', a'r geiriau canlynol uwch ei phen:

> ' "Myfyrdod ncu Ddeusyfiad Cantores, am gael ei gwisgo a rhai o'r prif Geinciau, yn lle Dillad" — ar fesur y Dôn Fechan, ar yr hon e'i cenir y rhan fwyaf o Lyfr y Ficer Llanymddyfri. Mr. Rhys Prichard, M.A. 1644.'

Wrth gwrs, nid yw cyfeiriadau o'r ddeunawfed ganrif at gysylltiadau rhwng cerddi'r Ficer a thonau penodol yn dystiolaeth bendant o'u cysylltiad. Fodd bynnag, mae cyfeiriadau fel y rheini yng nghasgliadau Ifor Ceri — 'Melus-Seiniau Cymru', 'Per-Seiniadau Cymru' a'i 'Melus-geingciau Deheubarth Cymru' — Llawysgrif 36 J. Lloyd Williams — sy'n cynnwys tonau megis 'Mesur y Dôn Fechan' a genid i'r geiriau 'Trwm yw'r Plwm, a thrwm y cerrig', yn awgrymu'n gryf fod tonau traddodiadol o ryw fath yn gysylltiedig â phenillion y Ficer.

Y tebygrwydd yw i benillion y Ficer, cyn eu hargraffu, gael eu llafarganu neu'u canu i donau traddodiadol, ac i'r carolau, y salmau a'r penillion litwrgïaidd yn arbennig, gael eu canu yn ystod gwasanaethau eglwysig. Wedi iddynt gael eu hargraffu mae'n rhaid fod y cerddi wedi parhau i gael eu canu — er bod darllen ac adrodd (fel y gobeithiai Stephen Hughes) wedi datblygu ochr yn ochr â hyn.

Beth oedd cyd-destun y perfformio? Mae'n rhaid mai'r gwasanaeth crefyddol oedd y prif gyd-destun. Ceir cyfeiriadau at bulpud symudol ac at y ffaith fod yn rhaid i'r Ficer bregethu mewn mynwentydd gan fod ei huodledd yn denu cynulleidfaoedd rhy fawr i'w cynnwys mewn eglwysi. Yn yr adran am hanes bywyd y Ficer yn argraffiad 1858 o *Canwyll y Cymry* dywedir:

> Dywedir i ni gan Mr. Fenton, yn hanes ei daith drwy Syr Benfro, yr arferai y Ficer fyw ar brydiau yn St. Kenox, pan yr oedd yn Ganghellwr Tŷ-Ddewi; a bod y llannerch gyfagos i'r tŷ yr hwn wedi hynny a arferid fel llawr nithio, wedi bod yn fynych yn lle iddo bregethu i gynnulleidfaoedd rhy liosog i Eglwys gyffredin eu cynnwys. Oblegid cymmaint oedd ei boblogrwydd, ac mor ddwys oedd ei ddull yn pregethu, fel pan ddeuai i aros yn Nhŷ-Ddewi, yr oedd dan yr angenrheidrwydd o gael pwlpud symmudadwy yn y fynwent, gan fod corph yr Eglwys Gadeiriol er mor eang ydyw, yn rhy gyfyng i'r cynnulleidfaoedd lliosog am yr hyn, oherwydd penboethni yr amseroedd, achwynwyd arno yn y llys Eglwysig, Dywed Mr. Fenton iddo gael yr hanesyn uchod gan orwyr i un o wrandawyr y Ficer, ym mhlith papurau yr hwn a cafwyd yr amgylchiad wedi ei goffhau . . .

Cyfeirir at yr un arferiad yn 'Oriau Gyda Hen Ficer Llanymddyfri', lle darllenwn y canlynol:

> . . . yr oedd ei weinidogaeth yn fwy derbyniol a llwyddiannus yn Llanedi. Pan y deuai y Ficer yno, byddai yn wastad yn cael cynnulleidfaoedd mawrion a mynych y gorfyddai iddo fyned allan i'r fynwent i bregethu, oherwydd fod yr eglwys yn rhy fechan i gynnwys y lluoedd a grynhoent i'w wrandaw . . .

Perfformid y penillion hefyd yn ystod gwyliau a gwledd-oedd tymhorol a chynulliadau pentref.

Ymddengys felly i gerddi'r Ficer gael eu perfformio cyn ac ar ôl eu hargraffu, mewn cyd-destunau cyhoeddus a phreifat.

Ond nid y cyd-destun cyhoeddus yn unig oedd i'r perfformiadau. Gwyddom iddynt gael eu perfformio yn ogystal yng nghyd-destun preifat y cartref lle 'roedd y Penteulu llythrennog yn ffigur allweddol. Dyletswydd ysbrydol a moesol y Penteulu fyddai darllen yr Ysgrythur-au a gweithiau defosiynol yn uchel nes bod aelodau an-llythrennog y teulu wedi meistroli'r grefft o ddarllen. Pwysleisia'r Ficer ei hun rôl y Penteulu — mae ganddo gerdd nawdeg saith o benillion yn cynnig 'Cyngor i bob Penteulu Lywodraethu ei dŷ yn dduwiol' lle dywed:

> Y mae dlyed ar Ben-teulu
> Ddysgu dylwyth wir grefyddu
> Nabod Duw, a chadw ei ddeddfe,
> Credu yn Ghrist, ai 'ddoli yn ddie.

Cyfeiria'r Ficer at y broses o wrando, ail-adrodd a dysgu yr hyn a ddarllenwyd gan y Penteulu:

> Darllain Bennod or scrythure,
> Ith holl dylwyth nôs a bore;
> Pâr i bawb repeto allont,
> A byw'n ôl y wers y ddyscont.

Byddai aelodau anllythrennog y teulu yn dysgu'r penillion ac yn eu cadw ar gof a'u trosglwyddo ar lafar i eraill.

Y mae'r cefndir llafar hwn yn gwbl allweddol i astudiaeth o *Canwyll y Cymry*. Heb ystyried pwrpas a dimensiwn llafar y penillion ni ellir gwir werthfawrogi nodweddion eu mydr, eu hiaith a'u harddull.

MYDRYDDIAETH

Un o nodweddion mwyaf nodedig gwaith Rhys Prichard yw priodoldeb ei gyfrwng. Wedi'i gyfansoddi ar ffurf penillion syml o bedair llinell, ac yn y mesurau rhydd, 'roedd y gwaith yn ateb gofynion perfformiad a throsglwyddiad llafar yn ogystal â gofynion y gynulleidfa ei hun. Sylweddolodd y Ficer y byddai defnyddio rhithm ac odl yn gymorth i gofio, ac y byddai penillion syml a bachog yn addas i'w gynulleidfa annysgedig. Yn wir, credai'r Ficer y gallai ei benillion aros ar gof wedi tri gwrandawiad. Dyma a ddywed:

> Ni cheisiais ddim cywrein-waith
> Ond messur esmwyth, perffaith,
> Hawdd i'w ddyscu ar fyrr dro,
> Gan bawb a'i clywo deir gwaith.

Yn 'Hanes Bywyd y Parch Rhys Prichard' yn argraffiad 1858 o *Canwyll y Cymry*, dywedir i'r Ficer osgoi:

> . . . bob cywreinrwydd a gorchestion cyngangeddol, a arferid yn gyffredin gan y Beirdd, rhag ofn colli y synwyr a'r amcan wrth eu dilyn, yr hyn sydd wedi digwyddo lawer tro.

Wrth gwrs, nid Rhys Prichard oedd yr unig un yn ei gyfnod a gredai mai barddoniaeth yn y mesurau rhydd oedd y cyfrwng didactig mwyaf effeithiol. 'Roedd trwch canu rhydd yr unfed a'r ail ganrif ar bymtheg yn grefyddol ei natur — yn llawn moesoli piwritanaidd a beirniadaeth gymdeithasol. Cyfansoddodd Edmwnd Prys ei salmau cân enwog yn y mesurau rhydd ac 'roeddent yn eithriadol o boblogaidd — rhwng 1621 a 1727 cyhoeddwyd Llyfr y Salmau un waith ar bymtheg. I'r un 'genre' y perthyn y cwndidwyr hefyd. Gelwid y Ficer yn ei ddydd yn 'Gwndidwr dû' — cyfansoddodd ei benillion ar yr un themâu ac ar yr un mesurau.

Sylweddolodd y Ficer na fyddai unrhyw beth yn apelio'n well at drwch y boblogaeth na phenillion wedi'u cyfansoddi ar fesurau a fu'n ffefrynnau gan eu cyndeidiau am ganrifoedd mewn ffair a gwledd ac ar fuarth. Felly, manteisiodd ar y mesurau yma i'w bwrpas ei hun.

Er nad yw Gwenallt Jones yn manylu ar fesurau *Canwyll y Cymry*, noda fod Rhys Prichard yn defnyddio chwe mesur gwahanol yn ei gerddi — Mesur Tri Thrawiad, Mesur Triban, Y Mesur Salm a geir gan Edmwnd Prys, Mesur yr Hen Benillion, Mesur Hir, a'r Mesur Byr. Ychwanega y ceir weithiau gyfuniad o'r Mesur Byr a Mesur yr Hen Bennill — dwy linell o'r naill a'r llall.

Yn argraffiad 1681 o *Canwyll y Cymry* gwelais fod yna 6 mesur gwahanol sef:

Mesur yr Hen Bennill;
Mesur y Tri Thrawiad Sengl;
Mesur y Tri Thrawiad Dwbl;
Mesur y Triban;
Mesur yr Awdl-gywydd Rhydd (mesur carol)
a Mesur y Gyhydedd 'Ddegban' Rydd (ail fesur Clidro)

Mae mwyafrif helaeth cerddi *Canwyll y Cymry* — cant a thair a bod yn fanwl — ar fesur cyffredin yr Hen Bennill —a rhai ohonynt yn cynnwys dros gant o benillion!

'Roedd y mesur yma, a'i batrwm odli syml, a'i rithm cyson, iambig yn ddelfrydol fel prif gyfrwng i'r Ficer restru gorchmynion moesol, a defnyddia ef mewn pennill ar ôl pennill, ac mewn cerdd ar ôl cerdd. Er enghraifft, mae'r gerdd 'Cynghor i bob Penteulu i Lywodraethu ei dŷ yn dduwiol' yn cynnwys nawdeg a saith o benillion ar y mesur hwn, ac mae'r gerdd 'Am weddi a'i pherthnasseu' yn cynnwys cant a deg o benillion ar yr un mesur.

Y patrwm odl A A B B sydd i'r mesur hwn fel arfer, gydag wyth sillaf ym mhob llinell (er bod peth amrywiaeth weithiau), a'r acen yn syrthio bob yn ail sillaf gyda'r llinell fel arfer yn gorffen yn ddiacen.

Dyma'r patrwm ym mwyafrif penillion *Canwyll y Cymry*, er enghraifft:

Y FICER PRICHARD

Cymru, Cymru, mwrna, mwrna,
Gâd dy bechod, gwella, gwella,
Rhag ith bechod dynnu dial
A digofaint Duw ith Ardal.

	Acenion	Sillafau
/ — / — / — / —	4	8
/ — / — / — / —	4	8
/ — / — / — / —	4	8
/ — / — / — / —	4	8

Weithiau cawn amrywiaeth yn nifer y sillafau gyda rhai penillion yn cynnwys saith sillaf ym mhob llinell:

Fel y rhed yr haul i'r hwyr,
Fel y treulia'r ganwyll gwyr,
Fel y syrthia'r Rhosyn gwynn;
Fel y diffidd tarth ar lynn;

Felly Treulia, felly rhed,
Felly derfydd pobol Grêd,
Felly diffydd bywyd dyn,
Felly syrthiwn bob yr un.

ac eraill yn cynnwys naw sillaf:

Fel canwyll gwyr mae'n hoes yn treulio,
Fel llong dan hwyl mae'n myned heibio,
Fel post dan fawd mae'n pedwar carnu,
Fel cyscod cwmmwl mae'n difflannu.

Fodd bynnag, ceir pedair acen ym mhob llinell bob amser — yn syrthio bob yn ail sillaf. Gwelir hyn yn glir yn y ddau bennill olynol canlynol — y naill yn cynnwys naw sillaf ym mhob llinell a'r llall yn cynnwys wyth sillaf ym mhob llinell:

Na phampra'r corph i Lâdd yr enaid,
Na ddigia Dduw i blessio diawlaid:
Na werth y nef i brynu daiar:
Na phecha mwy rhag bôd yn tifar.

— / — / — / — / —
— / — / — / — / —
— / — / — / — / —
— / — / — / — / —

Be caet beunydd fwytta Manna,
Ar felus-fwyd lanw'th fola;
Beth wyt nes, o dae'n ôl hynny,
I Bwll Uffern i newynu?

/ — / — / — / —
/ — / — / — / —
/ — / — / — / —
/ — / — / — / —

Er mai yn ddiacen y gorffen y mwyafrif o linellau, cawn enghreifftiau o linellau ag odl unsill yn gorffen yn acennog, er enghraifft:

Y meddw chwarddodd am fy môd,
Yn cadw 'ngheiniog yn fy nghôd,
Y nawr sy'n wylo'r dwr yn frwd,
Wrth feggian ceiniog fâch o'm cwd.

Fel llong dan hwyl, fel pôst dan fawd,
Fel saeth ar farc, fel Gwalch at ffawd,
Fel mwg ar wynt, fel llif ar ddwr,
Y Posta ymmaith einioes gwr.

Dyma eu patrwm:

— / — / — / — /
— / — / — / — /
— / — / — / — /
— / — / — / — /

'Roedd y mesur syml hwn ar gael i'r Ficer fel prif gyfrwng traddodiad llafar ei gerddi epigramatig, didactig. Yn ei gerdd o'r enw 'Achwyn Mr. Prichard ynghylch Tre Llanddyfri, a'i Rybydd a'i gyngor ef iddi' anoga'r Ficer, gyda chymorth mnemonig rhithm ac odl, bob unigolyn i:

Bwrw ymmaith dy ddiffeithdra,
Twyll, a ffalstedd, a phutteindra,
Gâd dy fedd-dod, clâdd dy frynti,
Mae Duw'n gweld dy holl ddrygioni.

Mae chwe cherdd yn argraffiad 1681 o *Canwyll y Cymry* ar fesur y Tri Thrawiad — mesur eithriadol o bwysig yn yr ail ganrif ar bymtheg a'r ddeunawfed ganrif. Mae tair o'r cerddi yma, sef 'Hil Frutus', 'Gwahoddedigaeth arall i foli Christ Iesu', a 'Can ar y flwyddyn 1629, pan yr oedd yr yd yn afiachus trwy lawer o law' ar fesur y Tri Thrawiad Sengl. Mae'r tair arall, sef 'Hîl Adda', 'Cynhyrfiad i foli'r Arglwydd Iesu' a 'Can ynghylch y Diawl a'r Meddwon' ar fesur y Tri Thrawiad Dwbl.

Dengys yr enghraifft isod nodweddion y mesur Tri Thrawiad Sengl yn *Canwyll y Cymry*:

Hil Frutus fâb Sylfus, Brittaniaid brwd hoenus,
Caredig, cariadus, cyd-redwch i'm bron,
I wrando'n 'wllysgar, â chalon ufuddgar,
Fy llefain am llafar hiraethlon.

	Acenion	Sillafau
— / — — / — — / — — / —	4	12
— / — — / — — / — — /	4	11
— / — — / — — / — — / —	4	12
— / — — / — — / —	3	9

Gwelwn mai'r patrwm sillafau yw 12, 11, 12, 9. Mae pedair acen yn y tair llinell gyntaf a thair yn yr olaf. Patrwm odli A B C B sydd i'r mesur. Mae hefyd odl fewnol ychwanegol — o fewn y llinell gyntaf ac o fewn y drydedd linell — ac mae yma odl gyrch rhwng y llinell gyntaf a'r ail linell, a rhwng y drydedd linell a'r llinell olaf.

Weithiau cwymp acen ar ddechrau llinell megis yn llinell agoriadol y pennill canlynol:

Trwssiwch eich Tie, hwyliwch eich bwrdde,
A phob sir or gore, o gariad at Ghrist:
Gwahoddwch i gilydd, i gynal llawenydd,
Na chedwch ei wyl-ddydd yn athrist.

Os cymerwn gwpled laf mesur y Tri Thrawiad Sengl a'i ailadrodd, cawn fesur y Tri Thrawiad Dwbl. Dengys yr enghraifft isod nodweddion y mesur yn *Canwyll y Cymry*:

Duw gatwo pob Christion rhag Satan anghyfion:
O 'wllys fyng halon rwi'n ceisio,
Gael dwyn ein eneidiau 'ddwrth bob rhyw o feie,
O uffern a'i phoene, a'i rwystro.

	Acenion	Sillafau
— / — — / — — / — — / —	4	12
— / — — / — — / —	3	9
— / — — / — — / — — / —	4	12
— / — — / — — / —	3	9

Cyfuniad ydyw felly o ddau gwpled — ill dau'n cynnwys un llinell â phedair acen ac un llinell â thair acen. Y patrwm odli yw ABCB gydag odl fewnol o fewn y llinell gyntaf a'r drydedd, ac odl gyrch rhwng y llinell gyntaf a'r drydedd, a rhwng yr ail a'r bedwaredd.

Yn y tair cerdd sydd ar fesur y Tri Thrawiad Dwbl, gwelwn fod sillaf olaf yr ail a'r bedwaredd linell ym mhob pennill yn cario'r un odl. Er enghraifft, mae'r canlynol yn ddau bennill olynol o'r gerdd 'Can Ynghylch y Diawl a'r Meddwon':

> Y Cythrael twyllodrys sy beunydd heb orphwys,
> Ond ceisio'n ofalus ein twyll*o*,
> I wneuthur pechode, pob amryw o feie:
> Duw gatwo'n heneidie ni rhagdd*o*.
>
> Fel y bydd cysgod ar ddisclair ddiwrnod,
> Ein dilyn yn wastod wrth rodi*o*;
> Felly mae ynte yn canlyn ein sodle,
> Yn gysgod ei fagle i'n cwymp*o*.

Mesur arall a ddefnyddiai Rhys Prichard oedd y Triban neu'r Englyn Cyrch. Nodais fod pedair ar bymtheg o'i gerddi ar y mesur yma yn argraffiad 1681 o *Canwyll y Cymry*, sef: 'Cynghorau i'r Sawl a ddymunant gael ffafr Duw a maddeuant pechode'; 'Galarnad Pechadur'; 'Gras cyn bwyd'; 'Gras gwedi bwyd' 'Arall yn ôl Swpper'; 'Llythyr yr Awdwr at ryw Eglwyswr a ddeisyfodd arno droi ar gân Catechism Eglwys Loeger'; 'Catechism'; 'Myfyrdod pan dihuner o gysgu ganol nôs'; 'Psalm 23'; 'Y môdd y dlye ddyn grassol ddeffro ei gorph ai enaid genol nôs i glodfori Duw'; 'Diolch am etholedigaeth ac amryw ddoniau ysprydol'; 'Rhan o'r Pslam 69'; 'Psalm 30. Diolch am ymwared o gystydd'; 'Gweddi Eglwyswr wrth fyned i ymweled â'r Cleifion yn amser y Chwarren'; 'Ofer yw gweddio dros y marw'; 'Hymn neu Gan ar Ddyddnadolig'; 'Psal 38'; 'Psalm 100'; pum pennill olaf y gerdd 'Gras cyn Swpper' — mae'r deg pennill cyntaf ar fesur yr awdl-gywydd rydd (mesur carol/salm) ac awgryma'r geiriau 'Gras yn ol cynio' a ymddengys wrth ochr pennill unarddeg mai cerdd wahanol yw'r pum pennill olaf.

Mae'r Triban yn gyfuniad o ddau fesur, sef y Traethodl (Cywydd deuair hirion) a'r Awdl-gywydd (mesur carol/ mesur salm). 'Roedd yn fesur poblogaidd iawn ym Morgannwg. Fel y Reciwsant John Jones a'r Piwritan Morgan Llwyd yn ddiweddarach manteisiodd y Ficer Prichard ar y mesur syml hwn â'i batrwm rhithmig, iambig, i ateb gofynion ei bwrpas didactig a defnyddiodd ef yn aml fel mesur i'r salmau. Dyma bennill o'i gerdd 'Psalm 23':

Fy Mugail yw'r Goruchaf,
Pa fôdd gan hynny ffaelaf?
Trwi'n ymddiried yndo fe
Ni edy eisie arnaf.

Dengys yr enw 'Triban' fod y mesur yn cynnwys tair llinell — ond fel arfer cyflwynir y drydedd linell fel dwy linell yn hytrach nag un. Dyma enghraifft o'r mesur yn *Canwyll y Cymry*:

O Arglwydd Dduw goruchaf
Pa ddull, pa fodd y gallaf,
Roi it ddiolch llawn ar llêd,
Fel y mae'r dyled arnaf?

Di aethost yn Dâd im-mi,
A minnau'n blentyn itti;
Di'm ail wnaethost ar dy wedd,
Yn tifedd i'r goleuni.

Dyma'r patrwm yn y ddau bennill:

	Acenion	Sillafau
— / — / — / —	3	7
— / — / — / —	3	7
/ — / — / — /	4	7
— / — / — / —	3	7

Gwelwn fod tair acen yn y llinell gyntaf, yr ail a'r bedwaredd, a phedair acen yn y drydedd. Patrwm odli AABA sydd iddo gydag odl gyrch rhwng y drydedd a'r bedwaredd linell. Saith sillaf sydd ym mhob llinell — a dyma'r patrwm fel rheol yn *Canwyll y Cymry*. Fodd bynnag, cawn rai enghreifftiau o ddefnyddio wyth sillaf yn y drydedd linell. Cawn hyn, er enghraifft, yn y penillion canlynol o'r gerdd 'Ofer yw gweddio dros y marw' lle mae dau ar bymtheg o'r deg pennill ar hugain yn cynnwys wyth sillaf yn y drydedd linell:

Fyng Hâr a'm gwir anwylyd,
Gofynsoch gwestiwn hyfryd:
Ma'n weddus im, ym-mhlaid y ffydd,
Roi atteb prudd o'i blegid.

Hyn ymma yw'ch gofynniad
Ai gweddus yw ir 'ffeiriad
Weddio dros y marw'n brudd
Yn ôl y dydd departiad.

Patrwm y ddau yw:

	Acenion	Sillafau
— / — / — / —	3	7
— / — / — / —	3	7
— / — / — / — /	4	8
— / — / — / —	3	7

Sylweddolodd y Ficer y gallai fanteisio ar y mesur syml hwn i drosglwyddo'i neges grefyddol, ddidactig. Dyma'r mesur a ddefnyddia yn ei Catechism sydd ar ffurf deialog:

Holiad. Fy Mhlentyn hygar hoyw,
Er Christ beth yw dy enw?
Maneg im' o galon brŷdd,
Dy gred ath ffydd yn groyw.

Atteb. Fy enw yw Cynedda,
Y gollwyd gynt yn Adda:
Etto gedwid trwy râs Duw,
Yn Grist 'rhwn yw'r Messia.

Nodais bod dwy gerdd yn argraffiad 1681 o *Canwyll y Cymry* ar fesur yr Awdl-gywydd (mesur carol/mesur salm), sef 'Gras cyn Swpper' ac 'Arall' — ill dwy yn gerddi gras.

'Roedd y mesur syml, hawdd ei gofio hwn yn ddelfrydol i adrodd yn ddyddiol ddeunydd o'r math hwn. Yn wir, erbyn cyfnod y canu rhydd cynnar defnyddiwyd y mesur yn gyson ar gyfer penillion crefyddol. Dyma'r mesur a ddefnyddiodd Richard White yn ei *Garolau.*

Maentumia Gwenallt Jones yn ei lyfr ar y Ficer Prichard mai mesur salm Edmund Prys a fabwysiadodd y Ficer. Ond, fel y dengys yr enghraifft isod o waith Prys, 8787 oedd patrwm sillafau y mesur yn ei benillion ef:

Erglyw (o Dduw) fy llefain i
ac ar fy ngweddi gwrando:
Rhof lef o eitha'r ddaiar gron,
o'm calon yn llysmeirio.

Fy Arglwydd Dduw moliannaf di
â holl egni fy nghalon:
Ac i'th fawr enw byth gan dant
Y rhof ogoniant cyson.

Nid y mesur 8/7 yma a fabwysiadodd Rhys Prichard ond yn hytrach y mesur 7/7 gwreiddiol. Dengys y penillion agoriadol hyn i'r gerdd 'Gras Cyn Swpper' nodweddion y mesur yn *Canwyll y Cymry:*

Codwn bawb ein pen a'n ffriw,
At Grist 'rhwn yw'n profeier,
A chanlynwn arno e'n daer,
Roi fendith ar ein Swpper.

Mae e'n porthi pôb peth byw,
Er maint o'i rhyw a'i nifer,
Ac yn rhoi i'r rhain i gyd,
Eu bwyd mewn prŷd a themper.

Dyma eu patrwm:

	Acenion	Sillafau
/ — / — / — /	4	7
— / — / — / —	3	7
/ — / — / — /	4	7
— / — / — / —	3	7

Gwelwn mai saith sillaf sydd i bob llinell, a sylwn mai patrwm yr acenion yw 4343 gyda llinell gyntaf pob clymiad yn acennog a'r ail yn ddiacen. Y patrwm odl yw ABCB ac mae odl gyrch rhwng y llinell gyntaf a'r ail, a rhwng y drydedd a'r bedwaredd.

Eto, dyma benillion agoriadol y gerdd arall o'r enw 'Arall' a gyfansoddodd y Ficer ar y mesur hwn:

Gwyr a gwragedd, gweision, plant,
Rhown foliant am ein porthi,
I'r hael Dduw s'o bryd i bryd
Yn rhoi maeth hyfryd inni.

Mae'n diwallu pob peth byw,
Bob pryd a rhyw ddaioni,
Ac o'i law, a'i râs, a'i ròdd,
Yn rhoddi môdd i'n peri.

Cymharol fer yw'r ddwy gerdd ar y mesur hwn — mae deg pennill yn y naill a chwe phennill yn y llall. Diddorol yw sylwi nad yw'r Ficer yn defnyddio'r mesur hwn ar gyfer ei salmau.

Mesur pellach a fabwysiadodd y Ficer oedd hwnnw a ddisgrifir gan Gwenallt fel:

> Mesur hir, un sill-ar-ddeg mewn llinell ag odl unsill, mesur y gellir ei ganu ar y dôn 'Conseat y Capten Morgans', neu fe ellir rhannu'r llinell yn chwesill a phump a'i ganu ar y dôn 'Clychau Rhiwabon' ...

Defnyddia'r Ficer y mesur cyhydedd 'ddegban' rydd yma mewn dwy gerdd, sef 'Adroddiad o gariad Christ at y byd' a 'Cyngor i Bechadur i ddyfod at Ghrist'. Nid ymddengys y mesur hwn yn aml yn y canu rhydd. Defnyddiodd Rhosier Smyth ef yn 1615 a cheir rhai enghreifftiau ohono yn y gyfrol *Hen Benillion.*

Dyma benillion agoriadol y ddwy gerdd sydd ar y mesur hwn yn *Canwyll y Cymry*:

Clywch adrodd mawr gariad mab Duw at y byd
Pan daeth ef or nefoedd, i'n prynu mor ddryd,
Er peri i chwi gofio, am gariad Mab Duw,
Ai foli'n wastadol tra fyddoch chwi byw.

Dewch bawb sydd drwm lwythog gan bechod a bai;
Dewch at eich Jachawdwr, sydd eich gwawdd chi bob rhai
I laesu'ch trwm lwythe a'ch blinder a'ch cryd:
Mae'n addo'ch reffreshio, dewch atto mewn pryd.

Hwn yw eu patrwm:

	Acenion	Sillafau
— / — — / — — / — — /	4	11
— / — — / — — / — — /	4	11
— / — — / — — / — — /	4	11
— / — — / — — / — — /	4	11

Gwelwn fod pob llinell yn rhannu'n ddwy gyda dwy acen ym mhob hanner, a bod pob llinell yn dechrau'n ddiacen ac yn gorffen yn acennog. Patrwm syml iawn sydd i'r odl — AABB. Yn yr enghraifft hon mae un sillaf ar ddeg ym mhob llinell. Ond cawn enghreifftiau o benillion a thair sillaf ar ddeg ym mhob llinell.

Digwydd hyn ym mhenillion 34-57 y gerdd 'Cyngor i Bechadur i ddyfod at Ghrist'. Yn argraffiad 1770 o *Canwyll y Cymry* ymddengys y penillion hyn fel cerdd ar wahân yn dwyn y teitl 'Iechydwriaeth yn unig yng Nghrist'. Dengys y penillion olynol canlynol yr amrywiaeth:

Ymafael yn dy Brynwr, yn Ffest a llaw dy Ffydd,
O mynni gael dy gadw, dal d'afel yntho'n brydd;
Na choll oth afel arno, nes caffech rym a gras,
Oddwrtho i gadw d'enaid, a byth bod iddo'n was.

Na 'mddiried ith weithredoedd, nath ddysc, nath dda, nath ryw,
Ni all dim gadw d'enaid, ond Ffydd yn un mab Duw:
O rhoi d'ymddiried yntho, ni chollir denaid byth,
Heb Grist or ceisii gadw, di colli ef dros fyth.

	Acenion	Sillafau
— / — — — / — — / — — — /	4	13
— / — — — / — — / — — — /	4	13
— / — — — / — — / — — — /	4	13
— / — — — / — — / — — — /	4	13

Felly, dyma'r mesurau syml, rhithmig a fabwysiadodd Rhys Prichard. Nid ei bwrpas ef oedd cyfansoddi barddoniaeth gymhleth, soffistigedig, ond yn hytrach creu penillion a fyddai'n ateb angen arbennig — penillion a fyddai'n dderbyniol gan drwch y boblogaeth. Yn ei eiriau ef. 'Ni cheisiais ddim cywrein-waith'. Hawliai'r mesurau yma iaith ac arddull arbennig a fyddai'n addas ar gyfer trosglwyddo'r penillion ar lafar yn ogystal ag ar gyfer y gynulleidfa annysgedig.

IAITH

Gwell yw pum gair ag ystyriech,
Nag yw deng-mil na's deallech,

ac mae deall a chofio hyn yn gwbl allweddol i astudiaeth o iaith ei benillion. Symlrwydd ac eglurder mynegiant oedd delfryd y Ficer. Buddioldeb ac uniongyrchedd oedd ei nod. Ni wnâi iaith gywrain, ddychmygus mo'r tro felly — nid atebai ei bwrpas. Yr iaith a wnâi hyn fyddai iaith seml, uniongyrchol a phlaen. A dyma'r iaith a ddefnyddiodd.

Nodwedd fwyaf trawiadol iaith penillion y Ficer yw ei bod yn iaith lafar. Iaith ydyw sydd wedi ei hanelu at glust cynulleidfa ansoffistigedig yn hytrach nag at lygad cynulleidfa ddarllengar, soffistigedig. Iaith gyfarwydd, seml, dafodieithol ydyw, yn gyforiog o ymadroddion llafar a adlewyrcha iaith ardal y Ficer yn Llanymddyfri.

Megis Salmau Cân Edmwnd Prys gorwedd gwerth a llwyddiant penillion y Ficer yn eu naturioldeb a'u symlrwydd dirodres, nodweddion a oedd yn gyffredin yn wir i lawer o'r canu rhydd yn y cyfnod.

Dywed Thomas Levi am y Ficer ar ddechrau argraffiad 1888 o *Canwyll y Cymry*:

> Dewisodd y mesur mwyaf syml a rhwydd, a'r iaith fwyaf sathredig a dealladwy. Ei holl amcan oedd trosglwyddo gwbodaeth o'r Ysgrythyrau Sanctaidd i'r bobl; ac ni phrisiai ddim pa faint o rwygo ac aflunio a wnelai ar eiriau Cymraeg, na pha faint o eiriau Seisnig, neu haner Seisnig, a ddefnyddiai er mwyn cyrhaedd ei amcan. Dywedai ef wrth ei syniadau, fel y dywedai Iesu Grist wrth ei ddisgyblion, 'Na ofelwch am eich corff beth a wisgoch — mae y corff yn fwy na'r dillad'.

Ym mhenillion y Ficer ychydig o barch a ddangosir, ar y cyfan, at gywirdeb mynegiant. Dyma a ddywedir am iaith Rhys Prichard yn 'Oriau Gyda Hen Ficer Llanymddyfri':

> Hawdd yw gweled fod y ficer yn fwy ei ofal am syniad cywir nag am iaith bur. Ei bwnc ef oedd cael mater da, a dangos hwnnw, nid yn y modd trefnusaf, ond yn y modd amlycaf. Gan ystyried nad oedd gair ddim ond cyfrwng i egluro meddwl, arfera yn ei bennillion iaith sathredig y wlad, heb ymholi oddiwrth ba genedl y cychwynodd y geiriau allan.

Yn wir, digwydd llawer o'r nodweddion ieithyddol er mwyn ateb gofynion y mesur. Gwelwn drychiad neu estyniad rhyfedd mewn geiriau yn aml er mwyn gwasanaethu'r odl neu'r sillafau. Yn y cwpled canlynol ychwanegwyd yr 'y' i 'gyrwydro' er mwyn sicrhau'r nifer cywir o sillafau ac acenion:

> Dafad oeddem aethe ar ddidro,
> I blith bleiddiaid i gyrwydro.

Yn yr enghraifft ganlynol caiff yr ymadrodd 'tra byddom' ei gywasgu i'r ffurf 'tro'n' er mwyn ateb gofynion y mesur:

> Oni wasnaethwn Dduw *tro'n* ymma.

Ceir cyfeiriad yn 'Oriau Gyda Hen Ficer Llanymddyfri' at yr arferion hyn:

> Yn wir, ni byddai y Ficer byth yn petruso am air. Os na byddai y geiriau a ddeuent i'w feddwl yn barod i odli o honynt eu hunain, efe a'u gorfodai yn ddiymaros i ateb i'r mesur. Heblaw arferyd y nod sillgoll i'w cwtogi, efe a newidiai lythyren, neu a roddai lythyren yn ychwaneg i mewn. Dyma enghreifftiau:-
>
> 'Rho dy fryd ar gadw'r gyfraith,
> A byw wrthi yn *ddiragraith*'.
>
> 'Duw y lluoedd sydd ryfelwr,
> Ac yn noddfa mewn *cyfyngdwr*'.
>
> 'Corff pob dyn yw tŷ ei enaid,
> Rhaid reparo hwn a'i *drefnaid*'.

Câi nodweddion o'r fath eu goddef ar lafar, ond yn sicr nid fel arall. Yn wir adlewyrchir hyn yn y rhagymadroddion i argraffiadau o *Canwyll y Cymry*. Er enghraifft, yn argraffiad 1888 dywedir:

> Gwyddis fod iaith Ficer Prichard yn fynych yn nodedig o annghoeth a thrwsgl, ac o'i mesur wrth safon yr 'oes oleu hon' yn

rhy sathredig. Rhwygai eiriau a rheolau y Gymraeg, ac afluniai eiriau Seisnig i bob ffurf, er mwyn cael yr hyd, neu yr odl, i'w benillion. Yr ydym wedi gadael allan y penillion a'r geiriau mwyaf hyllig (ac heb fod ar ein colled chwaith).

Un o nodweddion amlycaf penillion y Ficer Prichard sy'n adlewyrchu ei sylfaen lafar yw eu geirfa. Geirfa gyffredin bob dydd pobl gyffredin y gymuned yn Sir Gâr ydyw — geirfa'r bobl y cyfansoddodd y Ficer ei benillion ar eu cyfer. Mae'r penillion yn gyforiog gan eiriau tafodieithol. Dyma'r enghreifftiau a nodais yn argraffiad 1681:

ENWAU:
Anner, arffed, bâd, bade, bogel, bola, bord, bordau, brynti, carc(c), clawdd, dlyed, dodiad, dodren, dodreunyn, gwddwg, gwelydd, gwyllys, hewl, lluched/llyched, llycheden, moddion, myned (= munud), screpan, sorod.

BERFAU:
Briwgawthan, carcco, carcca, car(c)cu, cwnnu, cwnne, cwnnodd, cwnnwch, cwpla, cwympwch, cwympent, cwympwn, cwympo, cwymp, dala, damsian, dawe, dere, dibennu, difaru, dlye, dlyem, dlywn, dly-yt/dlyt/dlyd, dodi, dododd, dodwys, dotter, dwad [dyfod < dywod, dywad < dŵad], gwachel, hala, llwmbran, suwrhau, tannu, tola, towla, twttan, twymo.

ANSODDEIRIAU:
Bront, brwnt, brwnta/brynta, brwntach, brwnton/ brynton, brynted, carc(c)cus/carccys, dierth, dwl, dwled, prîd, pritta, pritted, salw, suwr, suwra, taclus, tôst/tost, tosta, tostach, tosted, twym.

ADFERFAU:
Chwip, whip, drimbwl drambwl, eisiwys, eusiwys, i fynydd, i/y/'ma(e)s, tu fâ(e)s, nawr, suwr, toc, yn bost, yn glicc, yn gwitt.

O bryd i'w gilydd defnyddir ffurfiau llenyddol ac eraill a gysylltir â Gogledd Cymru. Weithiau etyb y rhain i ofynion y mesur. Er enghraifft:

Cyn yr elech i'r Drws *allan,*
At un gorchwyl, mawr na bychan.

Dywaid wrtho dere weithian,
Dere Arglwydd, dere'n *fuan.*

Yn aml cynigia'r golygydd esboniad ar rai ffurfiau yn ymyl y ddalen. Er enghraifft, yn achos yr ansoddair 'budyr' rhoddir y ffurf ddeheuol 'brwnt' yn yr ymyl. Yn achos yr adferf 'ffwrdd' nodir 'ymmaith' fel esboniad.

Yn ogystal â'r geiriau tafodieithol hyn gwelwn fod benthychiadau Seisnig yn britho gwaith y Ficer hefyd — nodwedd arall sy'n adlewyrchu cefndir llafar y penillion. Yn sicr, adlewyrcha ei ddefnydd o eiriau Seisnig iaith ei gymuned.

Yn ei lyfr ar y Ficer, dadleua Gwenallt fod y ffaith i Stephen Hughes osod geiriau Cymraeg cyfystyr â'r geiriau Seisnig ar ymylon tudalennau'i argraffiadau yn dangos na fyddai cynulleidfa *Canwyll y Cymry* wedi deall y gwaith. Dywed:

> Barnwyd yn yr ysgrifau ar y Ficer yn y ganrif ddiwethaf mai ei amcan wrth ddefnyddio'r Seisnig hyn oedd gwneuthur ei gerddi yn ddealladwy i'r werin, ond ni ellir credu hynny . . . pam y gosododd Stephen Hughes y geiriau Cymraeg cyfystyr ar ymylon tudalennau ei agraffiadau?

Mae'n amheus, fodd bynnag, a fyddai'r Ficer a oedd mor ymwybodol o'i gynulleidfa wedi defnyddio geiriau yn ei waith na fyddai ei gynulleidfa yn eu deall. Mae'n llawer tebycach i'r geiriau Cymraeg cyfystyr gael eu hychwanegu mewn ymgais i wneud y gwaith yn fwy ysgolheigaidd a llenyddol. Er enghraifft, yn argraffiad 1681 nodir fel arfer y Gymraeg 'Edifarhao' yn ymyl y benthyciad Seisnig 'repento'. Wrth gwrs, defnyddia Rhys Prichard weithiau fenthyciadau Seisnig — yn enwedig y rheini yn diweddu yn -o- — er mwyn odl, gan ei fod hefyd yn defnyddio'r geiriau Cymraeg cyfystyr dro arall.

Er enghraifft:

> fe olchir ei beion, pan orffo, . . .
> Ond iddo gael gweled repento.
>
> Mae'n ofer difaru, a chrio a chrynu.

Beirniadwyd penillion y Ficer yn hallt am gynnwys cynifer o fenthyciadau Seisnig. Dyma gyfeiriad bywiog at y mater yn 'Oriau gyda Hen Ficer Llanymddyfri'.

> Byddwn ni yn cyfarfod âg ambell un sydd yn rhoddi ei hun yn feirniad mewn ieithyddiaeth, yr hwn a ffroenia yn fursenaidd os

gwel rai geiriau o darddiad Seisonig mewn cyfansoddiadau Cymreig, er fod y cyfryw eiriau, fe allai, yn cael eu siarad gan y werin, ac na byddai yn hawdd cael rhai hanner mor ddealladwy yn eu lle. O! medd ein doethyn manyliannus, geiriau Cymreig diledryw i mi! Ond ni buasai gan yr hen Ficer amynedd i gydddwyn â'r cyfryw ddynsawd . . .

Braidd na thybegem y byddai ein beirniad cymhenddoeth yn barod i syrthio i lewyg o flaen barbareidd-dra y fath eiriau ag a geir yn y pennillion dilynol:

'Awn i wel'd Concwerwr Angau,
Gwedi ei rwymo mewn cadachau,
A'r mab a rwyga deyrnas Satan,
Yn y *craits*, heb allu *cripian*.'

'Crist sy'n cadw'r holl allweddau
Sydd ar uffern ac ar angau;
Ni faidd diawl nac angau *dwtsio*
Neb, nes cael gan Grist ei *lwo*.'

'Ni fyn Crist roi i sant, nac angel,
Dyn, na delw o un fettel,
Bart na *pharsel*, rhan na chyfran,
O'r gogoniant sy iddo ei hunan.'

'Ond Crist Iesu gwedi' hoelio,
Oedd y sarph yn *representio*.'

'Ni ddaw'r draig i maes o'r dwnsiwn,
Nes iddi gael gan Grist *gomisiwn*.'

Nodais 828 enghraifft o fenthyciadau Seisnig yn argraffiad 1681 o *Canwyll y Cymry*:

ENWAU:

Absolusion/absoluwsiwn, aer, Almond, anhemper, Arc, armwr, arwms, Astronomers, baccer, bait, balsam, bar(r), Bastard, bastardiaid, Bayli, begar, begeriaid, bligassiwn, brecffast, brest, brimston/brimstom/brwmstan, busnes, busnesson, bwtsiwr, capers, capten, carcas, cart, câs/cas, casc, clofs, coach, cobler, cobleriaid, comffordd/cymffordd/cynffordd, comuniwn, con(g)-cwerwr/cwngcwerwr, concwest, conquest, confformiaid, conf-formist, consciens, coronasiwn, cownt, credyd, cripliaid, crippil, crop, cwarter, cwmpni, cwmpniaeth, cwmpniwr, cwnsel, cwrt, cydsent, dansher, dart, displesser, departiad, doctor, doctoriaid, dolphiniaid, cowt, droppyn, dwngeon/dwng(i)wn/dwnshwn, Egypt, emprwr, ethnic, ferdid, fes, fineg, ffael, ffaf(f)ar, ffafwr, f(f)alstedd, ffann, ffanatic, fforfed, fforten, ffowler, ffrancwmsens, ffust, ffwrnais, ffwyl, gemms, gôl, grâp, gwarant, haliers, hast, helmet, hindrawns, hop, hwsmon/hwsman, hwsmyn, himnau/ hymnau, hymne, inffidel, inn, jordan, juncats, lamp, lantern, lanterne, liberteinied, lisens, lifing, locwst, malis, malisiwr, marchant, marchants, metswn, mettel, miwsic, monarch, mwrddrwr, mwrddwyr, oel/oyl, ordor, pacc, pagans, pardwn, parsel, part, partner, passiwn, peics, peint, pelican, peni, peril, perls, phansi/ffansi, phe(a)sants, picter, piler, piniwn, pistol, plaster, plot, plotte, pôl, porters, pot, prins, profeier, prom(m)ais/ promys, prom(m)eis(i)on, psalms, publican, pwer, pwrs, pwrp(w)l, pwynt, pwyntment, r(h)ebel, resbyt/respit, rhanswm, rhest, rhwm, relish/relys, rent, sampier, satisffactiwn, saws, scarled, scil, sciwer, sent, shailer/jailer, shiaflyn, shiars, signet, slaf, slafiaid, slafs, sort, sownd, spanis, speit, spêr, sphêrs, spring, stâd, steward, stiwardiaid, stoc, stop, stwff, stywdeie, styw-dai, tanner, talent, talente, talenti, tasc, teiger, temper, temptiad, tincer, tobacco/ tybacco, topas, torment, traitwyrs, treswm, tryst, twrn, twrne(i), waled, warning, water-men, wermwd, whip(p), witch, zêl.

BERFAU:
altre, altro, apuro, attendo, beg(g)ian, begio, bildo, blottir/ blottyr, bwlian, campo, carows(i)o, carrio, cateceiso, chwisso, claymo, cnocco, comfforddi/cymfforddi/ cynfforddi, cynffordda, committo, compelo, conc(g)wero/ congcwero, congcwerwyd, cwngcwerodd, conffesso, confronto, considrwn, correcto, cownto, craccia, cwmpnio, damn(i)o, defeisio, defowro, depato, departech, departodd, dropian, ecclipsodd, entro, hentrodd, examne, excepto, fento, ffafro, ffecto, ffeinto, fflattro, fforffettu, ffwrneisia, ffwrneiso, ffyst, ffysto, ffystir, hindra, hindro, hirio, hongian, inffecto, ledio, llwa, lwo, loetran, maintainio, manteinwys, marc(c)a, marcco, medlant, mustro, mwrddo, mwrn, mwrna, mwrno, ordro, paccio, pampra, parlo, pasio/passo, passod, passa, passant, pilo, plago, plagir, pled(i)o, plessio, plessir, plwmpo, posta, practeis(i)o, prefailo, preinto, presento, prisio, prissias, proclaimo, proffesso, proemisa, promeiso, protecto, prwfia, prwfio, r(h)aino, rebycco, refeco, reconseila, reconsilo, reconseilwyd, recyfro, reffreshio, renewid, renti, r(h)eparo, repenta, repento, repeto, represento, rostio, scapo, sclawndra, sclementa, scornei, scwrgio, sesno, sesnwch, singco, sipio, slwmbra, slwmbred, spario, sparia, speriaist, speriwch, spendo, staino, stayo, stoppo, stoppa, stoppi, stoppodd, storio, straglan, stripient, swmno, tacclu, tasto, tempra, temptio, tendo, tiplan, tormentir, tormento, tosso, trafaelu, treiaist, treio, trippio, trottan, trwblo, trwblwyd, trysta, trysto, trystent, trystwch, twmblo, twtchio/ twtshio, vexo, waetan/waitan, waitio, waster, wasto, ympyro.

Gwelir mai berfenwau'n dangos yr olddodiad *-o* neu *-io* a ddefnyddir fwyaf. Weithiau defnyddir yr olddoliad *-ian* neu *-an*.

ANSODDEIRIAU:
certen, certennol, ancertennol, clôs, cwning, cynfforddys, dainti/ deinti, , desprad, di-broffid, ernest, ffalst, ffeilstion, ffamiliar, ffast/ffest, ffein, ffeina, ffittach, plaen/playn, puwr, sofft, stowta, stwbwrn, triumphant/triwmphant.

Gwelir fod yr ansoddeiriau naill ai'n digwydd yn eu ffurf Saesneg, megis 'ffamiliar' a 'triumphant', neu gydag olddodiad ansoddeiriol Cymraeg megis 'certennol'. Weithiau defnyddir hwy er mwyn yr odl, er enghraifft, defnyddir 'puwr' ('pur') yma:

> Fyw'n gristnogaidd ac yn b*uwr*,
> Felly cant hwy'r nêf yn s*uwr*.

Yn y cwpled isod gwelwn ffurfiau tafodieithol a benthyciadau Seisnig, yn gwbl nodweddiadol, ochr yn ochr â'i gilydd:

> fel llong dan ei hwyle, yn cerdded ei Siwrne, . . .
> Mae'n heinioes yn passo, bob amser heb stayo.

Yn ogystal â'r eirfa, cawn nifer o nodweddion ieithyddol yn y penillion a adlewyrcha'n gryf yr iaith lafar. Fodd bynnag, mae yna anghysonderau argraffyddol a awgryma fod yr argraffu'n aml yn cuddio'r nodweddion llafar gwreiddiol. Mae ymddangosiad ffurfiau llenyddol weithiau yn sicr o fod yn arwydd o ymyrraeth y golygydd. Er enghraifft yn y cwpled canlynol:

> Ar y groes i Dâd sancteiddiol
> Dros y byd, i gadw ei bobl.

dengys yr odl mai 'bobol' oedd yr ynganiad cywir er mai 'bobl' sy'n ysgrifenedig yn yr achos arbennig hwn.

Lle nodir deuseiniaid yn yr orgraff, dengys yr odl yn aml mai'r ynganiad cywir yw'r un tafodieithol, er enghraifft, yn achos y ddeusain 'ae' dengys odl y canlynol mai'r ynganiad cywir yw 'a'. Darllenir 'gwaed' ond yr ynganiad yw 'gwad':

Ond llęfain yr irad, o'r groes ar ei Dâd,
Am fadde'r Iddewon, a sugnent ei waed.

Trwy Angeu tra phoen-fawr, a phridwerth ei waed,
Fe wnaeth heddwch hyfryd, rhwng dynion ai dad.

Cyflawnodd y Gyfraith, bodlonodd ei Dad,
Fe brynodd ein Pardwn, fe'i seliodd a'i waed.

Darllenir 'maes' ond yr ynganiad yw 'mas':

Ni thorrir o'r groglath, ni'n tynnir ni maes,
Nes tynno'r hael Jesu, â'i Rym ac â'i râs.

Rhaid cymmorth y Bugail, Christ Jesu a'i râs,
Cyn tynner un enaid o'i grafangc i maes.

'Mae'n rhaid i Christ Jesu'n goleuo â'i râs,
An tynnu o'r twllwch, cyn deler i maes.'

Darllenir 'taer' ond yr ynganiad yw 'târ':

O bwedd i diangc un dyn, rhag dial Duw a'i far,
Rhag melldith drom y gyfraith, rhag carchar pechod taer.

Dengys yr enghreifftiau hyn nad yw orgraff *Canwyll y Cymry* bob amser yn adlewyrchu'r sylfaen lafar, a'i fod yn bwysig felly cadw hyn mewn cof wrth astudio patrymau seinyddol yr iaith. Fodd bynnag, mae yna gymaint o nodweddion 'tafodieithol' a 'llafar' yn *Canwyll y Cymry* nes eu bod yn arwydd amlwg a chyson o sylfaen a chefndir llafar. Wrth gwrs, nid yw hyn yn arbennig i *Canwyll y Cymry*; ymddengys yn y Canu Rhydd ac mae'n amlwg mewn emynyddiaeth hefyd.

Nodwedd amlwg iawn ar dafodiaith Sir Gâr yw ynganu geiriau arbennig gyda llafariad epenthetig. Caiff hyn ei adlewyrchu ym mhenillion y Ficer lle mae ymddangosiad llafariad epenthetig yn yr ail sillaf mewn gair yn frith. Dro ar ôl tro yn y penillion darllenwn eiriau megis 'anal', 'cefen', 'ffafar', 'ofan', 'stabal', a 'trwbwl'. Gwelwn dair enghraifft yn y pennill isod:

F'offrymmodd ei hunan, yn Aberth bereiddlan;
Rhag ofon i Satan gongcwero:
Fe Sigodd e o'i sowdwl, fe wnaeth wrth fy meddwl,
Fe gadwodd y cwbwl a greto.

Yn *Canwyll y Cymry* gwelwn achosion o ddefnyddio llafariad wahanol i'r un a ddefnyddir mewn ffurfiau 'safonol' Cymraeg ysgrifenedig cyfoes. Mae'n debyg fod yr amrywiad hwn mewn llafariad yn adlewyrcha'r ynganiad tafodieithol — neu'n rhoi lledamcan ohono. Gall weithiau, wrth gwrs, arwyddo peth anghysondeb mewn confensiynau orgraffyddol. Darllenwn eiriau megis 'cenol', 'clwmu', 'yn wastod', 'gellwng' a 'doi' (yn lle 'dau').

Symleiddio deuseiniaid yw nodwedd seinyddol amlycaf iaith penillion y Ficer, ac adlewyrcha hyn yn sicr iaith Sir Gâr. Symleiddir ae>a, ai>e, au>e, oe>o, wy>w. Dro ar ôl tro yn y penillion cawn ffurfiau megis 'trad', 'chware', 'galle', 'madde', 'echdo', 'disymmwth'. Cawn chwe enghraifft o hyn o fewn y pedair llinell isod:

Y Barnwr mawr ynte yn gyflym ei gledde,
Ai dafal ai bwyse, y bwysa ddrwg a da,
Gan rannu ir eneidie, wrth gywir fessyre
Y cyfion or gore a'r gwaetha.

Nodwedd lafar arall o iaith penillion y Ficer yw hepgor llythyren, neu lythrennau mewn rhai geiriau, er enghraifft '-i-' — 'neithwr'; '-f-' — 'cyfri', 'eitha', 'gartre'; '-l-' — 'perig', 'possib'; '-e-' — 'fengyl', 'wllys'; ac '-y-' — 'madel', 'mofyn'. Dyma ddau achos o hepgor '-f-' o fewn dwy linell:

Os taflodd Duw yr Angel penna,
Am ei falchder ir pwll issa; . . .

Yn y cwpled isod gwelwn enghraifft o hepgor '-dd-':

Meistr a wna iddynt eiste,
Yn y Nefoedd mewn cadeire.

A dyma enghraifft o hepgor '-a-':

A thynnu dyn allan, fel nifel or gors.

Mae cwtogi geiriau yn nodwedd amlwg mewn iaith lafar a gwelwn hyn yn gyson yng ngwaith y Ficer, er enghraifft 'S'o' am 'sydd o'; 'rhyn' am 'yr hyn'; a 'rym' am 'yr ydym'. Dyma enghraifft o gywasgu 'yr hwn' i 'rhwn':

Pwy gan hynny na wasnaethe, . . .
Rhwn sy'n gwabru ei gywir weision.

Wrth gwrs, yn aml digwydd y cwtogi i ateb gofynion y mesur.

Adlewyrchir natur dafodieithol iaith *Canwyll y Cymry* gan nodwedd arall — sef calediad cytseiniaid. Mae'n nodwedd sy'n arbennig o gyffredin yn ffurfiau modd dibynnol y ferf lle mae rhesymau hanesyddol dros y caledu ac mewn ffurfiau rhediadol arddodiaid.

Cawn achosion o galedi 'd' i 't(t)' megis 'cretto', 'dwetto'; 'dd' > 'd' megis 'yndo'; 'dd' > 't', megis 'ganto' a 'dd' > 'th' megis 'rhyngthynt'. Er enghraifft:

> Cais gan Grist ei ail ddillattu.
>
> Ni chais hwn tra bywyd gantho.

Nodwedd lafar amlwg arall ym mhenillion y Ficer yw'r terfyniad -wys/-ws i ffurfiau'r trydydd person unigol gorffennol y ferf. Digwydd ffurfiau megis 'trows', 'iachaws', 'rhows', 'prynwys', a 'talwys' yn gyson yn y penillion. Yn y pennill isod gwelwn bedair enghraifft o hyn:

> Yr Ange haeddasom, fe'i talwys ef drosom,
> A'r dyled adawsom heb gwpla:
> Ein scrifen fe dorrwys, a'r fforffed fe dalwys,
> A'n pardwn fe'i prynwys o'r pritta.

Adlewyrchir yr iaith lafar yn amlwg yn y penillion gan wahanol ffurfiau ar y rhagenwau. Yn aml cynrychiola 'i'/'y' yn unig y ffurfiau 'ei'/ 'eu' genidol, a cheir 'yn' yn lle 'y'n'. Er enghraifft:

> Ar bob peth oedd Duw'n i ddanfon.
>
> Ac na wyr y canfed ddarllain.
>
> A'r dydd yn gwnaeth . . .

Yn aml iawn yn y penillion defnyddir y ffurf lafar 'idd i' ar gyfer y rhagenw dibynnol mewnol 'i'w'. Er enghraifft, yn y llinell ganlynol:

> Am wasanaeth idd i weision.

Felly, o sylwi ar y nodweddion ieithyddol yma gwelwn fod y Ficer wedi deall yn glir sut i gyrraedd ei gynulleidfa —sef trwy fabwysiadu Cymraeg pob-dydd — iaith yr amaethdy a'r bwthyn, iaith llafurwyr amaethyddol Sir Gâr. Lles cyffredinol oedd ei nod a rhaid cofio hyn, er mwyn gwerthfawrogi iaith ei benillion a'u harddull.

ARDDULL

Megis eu hiaith etyb arddull y penillion i ofynion trosglwyddiad llafar a chynulleidfa gyffredin.

Mewn perfformiad llafar rhaid i bob agwedd ar y gwaith wasanaethu'r cof — cof y llefarydd a chof y derbynnydd. Felly rhaid i'r llefarydd feddwl mewn patrymau mnemonig — mewn patrymau sy'n hawdd eu cofio. Rhaid iddo ddefnyddio patrymau rhithmig cytbwys, a fformiwlâu cyson o ailadrodd a gwrthgyferbynnu, a rhaid iddo fynegi'i syniadau mewn ymadroddion a chyd-destunau thematig cyfarwydd.

Mae arddull penillion y Ficer yn llawn dyfeisiau i hwyluso'r broses o gyfathrebu rhwng y llefarydd a'r gynulleidfa. Maent yn llawn dyfeisiau mnemonig megis ailadrodd, cyfochredd a phentyrru, ac yn llawn ymadroddion stoc a themâu traddodiadol, cyfarwydd. Ni oddefasai cyfansoddwr llenyddol neu ddarllenydd ddefnydd cyson o'r un darn o fewn testun, hyd yn oed pe bai ychydig o amrywiaeth geirfaol ynddo. Fodd bynnag, mae ailadrodd y cyfarwydd nid yn unig yn nodwedd o lenyddiaeth lafar, ond mae hefyd yn gwbl sylfaenol iddi. Deallodd y Ficer hyn yn iawn.

Defnyddia'r Ficer ansoddeiriau stoc. Dro ar ôl tro mae'n tynnu ar ansoddeiriau syml a chyfarwydd.

> aflan, brwnt, brynted, bach, bychan, bychain, fechan, câs, cyfion, da, drwg, du, dued, duon, dyfal, glân/glan, glâs/glas, gwyn(n)/gwen(n), gwynion, hên, hyfryd, llawen, mawr, mawrion, mwya, mwyn, mwynion, mwyna, mwyn-lân, ofer, prûdd/prudd/prydd, pûr/pur, puwr, purlan, purwyn, sanctaidd, sancteiddiol, sancteiddlon, tirion, tôst/tost, tosta, tostach, trist, tristach.

Tueddir defnyddio'r ansoddeiriau stoc yma gydag enwau arbennig gan greu ymadroddion stoc.

> Angau glâs/glas, glâs Angeu, Arglwydd gwynn, Arglwydd mawr, Barnwr Cyfion, Duw Cyfion, Duw gwynn, Duw mawr, 'fengyl hyfryd, efengyl sanctaidd, gweddi brûdd/brudd, prûdd/prudd weddi, hên/hen Adda, Adda hên, Iesy gwyn(n), Prynwr hyfryd, Prynwr mawr, Prynwr pur-wyn, Sanctaidd Angelion/Angylion, Angelion Sanctaidd.

Cyfyd yr ymadrodd 'gwerthfawr waed'/'gwaed gwerthfawr' yn aml. Nid bwriad y Ficer oedd defnyddio disgrifiadau uchelgeisiol, soffistigedig, felly.

Mae ebychiadau ac anogaethau yn gyffredin i arddull llenyddiaeth lafar, a defnyddia'r Ficer y rhain yn aml er mwyn cryfhau effaith y penillion — technegau rhethregol ydynt. Er enghraifft dyma ddefnyddio 'o' ac 'och':

> O dewch yn garedig i wrando.

> Och! mor ddrewllyd ac mor embaid,

A chwestiwn rhethregol:

> Ond un misgwaith, beth yw hynny?

Defnyddir 'Gwae':

> Gwae finneu nawr ei gofio!

a 'clyw':

> Mae'n gofalu drosot clyw.

Dyna'r Ficer yn ymbil ar ei gynulleidfa.

Yn wir, un o nodweddion amlycaf arddull penillion y Ficer yw ei bod yn gyson yn cyfarch y gynulleidfa ac yn sicr adlewyrcha hyn y cefndir llafar. Byddai apelio'n uniongyrchol at gynulleidfa yn gymorth i'r llefarydd gryfhau effaith bedagogaidd, ddidactig y penillion — yn enwedig drwy ei alluogi i wneud defnydd cyson o ffurfiau pwerus y gorchmynnol — megis yn y ddau bennill canlynol:

> Dyfal chwilia di'r Scrythurau,
> Darllen air Duw nôs a borau:
> Dilyn arch y gair yn ddeddfol,
> Hynny'th wna di'n ddoeth anianol.

Gwna'r gair beunydd yn gydymmaith,
Gwna'n gywely it bob noswaith,
Gwna ê'n gyfaill wrth shiwrneia,
Gwna'r peth archo wrth chwedleua.

Defnyddia ffurfiau gorchmynnol yr ail berson unigol yn amlach na'r lluosog — techneg a wna ei neges yn fwy uniongyrchol a phersonol.

Mae dyfeisiau mnemonig yn drawiadol o gyson ym mhenillion y Ficer — yn wir mabwysiedir rhyw ddyfais fnemonig neu'i gilydd ymron bob un ohonynt. Oherwydd fod dyfeisiau pentyrru, cyfochredd, gwrthgyferbynnu ac ailadrodd yn digwydd mor fynych — mae gorymadroddi — hynny yw, ailadrodd yr hyn a ddywedwyd eisoes neu rywbeth tebyg i'r hyn a ddywedwyd eisoes — yn un o nodweddion amlycaf arddull y penillion. Ond nid gorymadroddi di-bwrpas mo hyn. Mae gorymadroddi'n un o dechnegau mnemonig amlycaf y traddodiad llafar gan ei fod yn gwasanaethu'r llefarydd drwy roi saib iddo o gyfansoddi'n gyflym o'r newydd o hyd, ac yn gwasanaethu'r gynulleidfa drwy gadarnhau'r hyn a ddywedwyd eisoes. Er enghraifft:

O gramp y llaw, o ene'r wiber,
O Rwyd y fall, o balfe'r Teiger,
O'r pwll, o'r pair, o'r deyrnas aflan,
Y tynnodd Christ ei ddefaid allan.

Yma defnyddir saith trosiad i fynegi'r un syniad. Ac eto yn y pennill nesaf:

Christ yw dewr Gwncwerwr angau,
Christ a'i speiliodd o'i holl arfau;
Christ a lyngcodd angeu melyn,
Christ y dynnodd ffwrdd ei golyn.

Mae'r tair llinell olaf yn ail-ddweud mewn gwirionedd yr hyn y mae'r llinell gyntaf yn ei ddweud. Yn yr enghraifft nesaf, pentyrrir pum ymadrodd — pob un yn mynegi'r un syniad gydag ychydig o amrywiaeth yn yr eirfa:

Christ yn unig, Christ ei hunan,
Christ heb neb, mewn rhan, na chyfran,
Christ heb ddim, ond Christ ei hun,

Yn wir, mae'r enghreifftiau o bentyrru, ailadrodd, cyfochredd a gwrthgyferbyniad yn ddi-ben-draw yn y penillion.

Pentyrrir ffigurau ymadrodd — fel trosiadau a chymariaethau; pentyrrir ansoddeiriau a ffurfiau gorchmynnol, ac enwau haniaethol ac enwau priod. Dyma un enghraifft o bentyrru *TROSIADAU*:

> Fe ry bara i borthi d'enaid,
> Fe ry laeth i fagu'th weiniaid,
> Fe ry gwin ith lawenhau,
> Fe ry eli ith iachau.

Crea'r gyfatebiaeth yn y gystrawen rhwng y llinellau fformiwla sy'n hawdd ei hadnabod a'i chofio.

Dyma bentyrru *CYMARIAETHAU:*

> Fel Cewri cyn diluw, fel Sodom cyn distryw,
> Fel Pharo ar cyfryw, . . .

ANSODDEIRIAU:

> Drwg tu fewn, a drwg tu fâs —
> Llawn o bechod, tlawd o râs,
> Aflan, oflid, dwl, diwybod.

GORCHMYNION:

> Tynn o Sodom, dere allan,
> Rhed o blith y bobol aflan:
> Gâd oferwyr, cadw d'enaid,
> Tynn o blith yr anffyddloniaid.

BERFENWAU:

> Gwrando'r Gair a chadw'r gyfraith,
> Credu'r Fengyl yn ddiragraith,
> Byw yn ôl ei gwir oleuni.

ARDDODIAID:

> Cyn gweddio edifara;
> Wrth weddi dyfal weithia:
> Yn ôl gweddi bydd ddiolchgar.

ENWAU HANIAETHOL:

> Y Sawl y fynno gael esmwythder,
> Llwyddiant, Heddwch, Cyfoeth, Cryfder,
> Parch a ffynniant tra font byw.

TEITLAU:

Mab Duw gorucha, Duw'r Gair mi a'i henwa,
Etifedd Jehofa, Duw, Mab y Duw mawr.

ENWAU PRIOD:

Cymred eraill hên Saint Catrin,
Dewi, Clement, Martha, Martin.

Digwydd pentyrru yn aml mewn mwy nag un pennill o fewn cerdd, gan raddol gryfhau a chadarnhau neges y gerdd. Gwelwn hyn yn y penillion olynol canlynol o'r gerdd 'Cynghor i wasnaethu Duw':

Yn yr Eglwys yn gyhoeddus,
Ar bob Sabboth yn dra pharchus,
Gydâ'r dyrfa ar ein glinie,
Ag un galon, ag un gene.

Ar ddydd gwaith mewn stafell ddirgel,
Gydâ'th tylwyth fel mewn Temel,
Fore a hwyr trwy alw arno,
Gwrando ei Air, a'i wîr fendithio.

Mae ailadrodd yn arbennig o amlwg ym mhenillion y Ficer a defnyddia'r dechneg ar nifer o wahanol lefelau — o gyflythreniaid i ailadrodd llinellau cyfan ac weithiau penillion cyfan. Felly, rhydd y patrymau o ailadrodd strwythur nid yn unig i benillion ond hefyd i gerddi cyfan.

Mae'r ailadrodd cyson ar draws penillion a cherddi *Canwyll y Cymry* yn dileu'r ffiniau rhwng y cerddi drwy greu iaith ac arddull adnabyddus, hawdd eu cofio. Er enghraifft, daw'r ddau bennill canlynol o wahanol gerddi yn y gwaith ond rhannant yr un iaith ac arddull:

Christ yw'n Brenin, Christ yw'n ffeiriad,
Christ yw'n Prophwyd, Christ yw'n Ceidwad,
Christ yw'n Bugail, Christ yw'n Barnwr,
Christ yw'n Pen, a Christ yw'n Prynwr.

Christ yw gwir oleuni'r Byd,
Christ yw'n Byd ôll i gyd,
Christ yw'n Cynffordd, Christ yw'n Ceidwad,
Christ yw'n Helpwr o'r dechreuad.

Y math mwyaf cyffredin o ailadrodd yw ailadrodd y gair, neu'r geiriau, cyntaf ar ddechrau llinell er enghraifft:

Cymmer berl o enau llyffan,
Cymmer aur o ddwylo aflan,
Cymmer wîn o bottel fydur,
Cymmer ddysc o ben pechadur.

Dyma nodwedd a fabwysiadodd y Ficer oddi wrth yr Hen Benillion er ei bod i'w chael yn y Canu Caeth. Mae yna duedd i ailadrodd gair neu eiriau cyntaf llinell gyntaf penillion olynol o fewn cerdd. Yn ei garol 'Awn i Fethlem' ailadroddir 'Awn' ar ddechrau dau bennill ar bymtheg.

Defnyddir amrywiaeth o batrymau o ailadrodd yn *Canwyll y Cymry*. Er enghraifft weithiau ailadroddir geiriau bob yn ail linell gan ffurfio patrwm *a b a b* megis yn y pennill canlynol:

Ni all Bual drigo'n heppell,
Lle bo gwichiad ciw neu barchell:
Ni all Satan yntef drigo,
Lle bo dynion yn gweddio.

Yn aml ailadroddir mwy nag un rhan o linell:

Yn lle Aur rhown lwyr gred yndo;
Yn lle Thus rhown foliant iddo;
Yn lle Myrh rhown wîr ddifeirwch.

Weithiau ailadroddir nifer o elfennau mewn penillion olynol gan gadw peth amrywiaeth megis y ddau bennill olynol yma:

Christ yw'r Pelican cariadus,
Sydd â gwaed ei galon glwyfus,
Yn iachau ei adar bychain,
Gwedi'r sarph ei lladd yn gelain.

Christ yw'r Pelican trugarog,
Sydd â gwaed ei galon serchog,
Yn Jachau ei frodyr priod,
Gwedi'r Diawl eu lladd â pechod.

Mae mwy o amrywiaeth eto yn y ddau nesaf:

Er ir lladron speilio d'enaid,
A'th archolli yn dra embaid;
Cred yn Ghrist y gwir Samariad,
Fe iacha d'archollion desprad.

Y FICER PRICHARD

Er ir danllyd sarph dy frathu,
A'th wenwyno nes dy nafu;
Cred yn Ghrist, fe ddofa'r poen.
Fe iacha'r clwyf a gwaed yr oen.

Er bod ailadrodd o fewn cerdd fel arfer yn digwydd ar draws penillion olynol, ni digwydd fel hynny bob tro. Er enghraifft, ymddengys y penillion canlynol o fewn yr un gerdd ond fe'u gwahenir gan bedwar pennill arall:

O! pa ddyled *s'arnom 'roddi;*
Ir gwîr Dduw am oddeu'n *gweddi,*
Fynd oi flaen *yr awr y mynnon,*
A chael gantho'r hyn *a geisiom.*

O! ba ddiolch *s'arnom roddi?*
Ir gwir Dduw am adel *Gweddi,*
Fyned atto'r *awr y mynnom,*
A chael gantho'r pethau *geisiom.*

Ailadroddir rhannau ymadrodd amrywiol.

Y GORCHMYNNOL:

Gwna'r gair beunydd yn gydymmaith,
Gwna'n gywely it bob noswaith,
Gwna ê'n gyfaill wrth shiwrneia,
Gwna'r peth archo wrth chwedleua.

BERFAU:

Ni bu Angel, *ni bu* Brophwyd,
Ni bu Sant, na dyn a fagwyd,
Ni bu nêb, . . .

ENWAU — yn arbennig enwau allweddol megis 'Duw' a 'Christ':

Christ y ddaeth o'r nef i'n prynu,
Christ a'n cadwodd gwedi'n damnu;
Christ o'n cystudd a'n gwaredodd,
Christ a'n dwg i deyrnas nefodd.

RHAGENWAU:

Côd *d'*olygon, plûg *dy* liniau:
Tann *dy* ddwylo, agor *d'*enau;
Deffro *d'*yspryd, cûr *dy* ddwyfron.

ARDDODIAID:

Trwy'r gwynt, a'r glaw, *trwy'r* Aer ar tonne,
Trwy'r Sphêrs i gyd a'r holl Blanede.

CYSYLLTEIRIAU:

Er dy golli . . .
Er ir cythrel . . .
Er it ddigio . . .

Ailadroddir rhai ymadroddion stoc yn aml hefyd yn enwedig 'Christ ei hun', 'Christ yn Unig' a 'Christ heb ddim'. Yn y gerdd o'r enw 'Christ sydd oll yn oll' digwydd yr ymadrodd 'Christ ei hun(an)' ugain gwaith a 'Christ yn Unig' saith gwaith.

Amrywiad ar ailadrodd yw cyfochredd. Digwydd cyfochredd drwy ailadrodd ystyr — mae'r termau'n newid ond erys y gystrawen yr un peth. Fel arfer, ailadroddir elfennau arbennig tra newidir eraill. Er enghraifft:

Fe ry bara i borthi d'enaid,
Fe ry laeth i fagu'th weiniaid,
Fe ry gwin ith lawenhau,
Fe ry eli ith iachau.

Yn yr uchod, gwelwn gyfochredd ystyr rhwng y pedair llinell. Erys cystrawen pob llinell fwy neu lai yr un peth — ailadroddir 'Fe ry' ac 'i' tra newidir yr enwau a'r berfenwau bob tro. Weithiau, ailadroddir enw a newidir elfennau eraill. Er enghraifft mae'r patrwm canlynol yn gyffredin:

Y gair yw'r ganwyll ath oleua,
Y gair yw'r gennad ath gyfrwydda,

Digwydd cyfochredd yn gyson fel techneg fnemonig ym mhenillion y Ficer. Cawn wahanol batrymau o gyfochredd. Y symlaf yw hwnnw rhwng dwy, tair neu bedair llinell gyfan olynol. Er enghraifft:

Cyfochredd rhwng dwy linell:

Gwachel neidir rhag dy frathu,
Gwachel blâg rhag dy ddifethu:

Rhwng tair llinell:

Dôd ê'n gadwyn am dy fwnwg,
Dôd ê'n rhactal o flaen d'olwg,
Dôd ê'n signet ar dy fyssedd,

Rhwng pedair llinell:

Gweddi laddodd Gawr tra chadarn;
Gweddi agorodd byrth o haiarn;
Gweddi gauodd safne llewod:
Gweddi dynn ddyn o bôb trallod.

Yn aml digwydd cyfochredd rhwng rhannau neu haneri un, dwy, tair neu bedair llinell olynol o fewn pennill. Er enghraifft mae'r canlynol yn batrwm o gyfochredd ar ddechrau tair llinell:

Christ y Speiliodd . . .
Christ y gwnnodd . . .
Christ y dalodd . . .

Mae'r patrwm canlynol yn un cyffredin hefyd lle mae'r cyfochredd rhwng dau hanner y ddwy linell gyntaf a hanner y drydedd linell:

Ni all Peder, ni all Pawl,
Ni all Angel, ni all diawl,
Ni all nêb . . .

Defnyddir patrymau mwy cymhleth weithiau megis cyfochredd rhwng pob yn ail linell o fewn pennill. Dengys y tri phennill isod y math hwn o batrwm:

Pan fo eisiau a'r dy fola,
Di âe i'r gell i geisio bara;
Pan bo newyn ar dy enaid,
Nid ae i un lle, i geisio ei gyfraid.

Y nêb a gretto yn Grist yn gywyr,
Fe gaiff hwnnw ei gadw yn siccir:
Y nêb ni chredo ynddo'n syth.
Ni chaiff hwnnw ei gadw byth.

Ond cais ddilyn buchedd newydd,
Trwy sancteiddrwydd a gwir grefydd,
A chall dreulio'th einioes fychan,
Mewn duwiolder prudd ac ofan.

Pan drown ein sylw at y defnydd o gyfochredd rhwng penillion o fewn cerdd gwelwn mai'r patrwm mwyaf cyffredin yw hwnnw o gyfochredd mewn rhan o un llinell mewn cyfres o benillion — sydd fel arfer yn rhai olynol. Er enghraifft, yn y gerdd 'Cyngor i Bechadur i ddyfod at Ghrist' gwelwn y tair llinell gyfochrog yma:

Mae'n rhaid i Grist ein gwared . . .

Mae'n rhaid i Grist ein gwneuthur . . .

Mae'n rhaid i Grist ein tynnu, . . .

Weithiau ceir cyfochredd rhwng mwy nag un llinell mewn pennill, er enghraifft:

Gwna'n gywely . . .
Gwna ê'n gyfaill . . .

Gwna fe'n ben . . .
Gwna fe'n Athro . . .

Yn y penillion olynol yma o'r gerdd 'Cynghor i wrando ac i ddarllen gair Duw', gwelwn batrwm mwy cymhleth lle mae pob llinell o fewn pennill yn gyfochrog â'i llinell gyfatebol mewn pennill arall:

Llaeth i fagu'r gwann ysprydol,
Gwîn i lonni'r trist cystuddiol,
Manna i borthi'r gwael newynllyd,
Ydyw'r gair, a'r fengyl hyfryd.

Eli gwych rhag pob rhyw bechod,
Oyl i ddofi gwûn cydwybod,
Triag gwerthfawr rhag pob gwenwyn,
Ydyw'r gair, a balsam addfwyn.

Mwrthwl dûr i bario'n cnappe,
Bwyall lem i dorri'n ceinge,
Rheol gymmwys i'n trwssianu,
Ydyw'r gair, ac athro i'n dyscu.

Udcorn pres i'n gwssio ir frawdle,
Clôch in gwawdd i wella'n beie,
Herawld yn proclaimo'n heddwch
Ydyw'r gair, an gwir ddiddanwch.

Ac eto yn y ddau bennill olynol hyn:

Christ yw'r pelican cariadus,
Sydd â gwaed ei galon glwyfus,
Yn iachau ei adar bychain,
Gwedi'r sarph ei lladd yn gelain.

Christ yw'r Pelican trugarog,
Sydd â gwaed ei galon serchog,
Yn Iachau ei frodyr priod,
Gwedi'r Diawl eu lladd â phechod.

Drwy greu strwythur o fewn pennill a cherdd gweithreda'r cyfochredd fel techneg fnemonig i gynorthwyo'r adroddwr a'r derbynnydd. Yn gystal â hyn cryfheir rôl ddidactig y penillion drwy ychwanegu amrywiaethau ar bwynt canolog. Gwelwn hyn yn amlwg iawn yn y gyfres o benillion uchod.

Techneg arall a ddefnyddia'r Ficer er sicrhau fod ei neges yn gofiadwy yw techneg gwrthgyferbyniad. Fel arfer defnyddia dechneg pentyrru, ailadrodd neu gyfochredd yn nwy neu dair llinell gyntaf pennill er mwyn adeiladu at wrthgyferbyniad yn y drydedd neu'r bedwaredd linell. Fodd bynnag, mae yna enghreifftiau o wrthyferbyniad rhwng cwpledi, o fewn cwpledi ac o fewn llinell; er enghraifft:

Heb Grist nid ym ond colledig;
Trwy Grist yr ym yn gadwedig:
Heb Grist ni chawn weled Duw;
Trwy Grist ni gawn yndo fyw.

Yr un a ddelo atto fe'i dûg ir nefoedd wen,
Yr un a beidio dwad, fâ i uffern ar ei ben.

O fab ir fall fe'th wna di'n gristion,

Nodais wyth brif ffordd wahanol o greu gwrthgyferbyniad yn y penillion. Y ffordd fwyaf cyffredin yw defnyddio'r negydd gyda chysylltair megis 'ond', neu gyda'r arddodiad 'heb'. Er enghraifft:

Ni all Peder, ni all Pawl,
Ni all Angel, ni all diawl,
Ni all nêb ond Christ yn unig,
Gadw enaid dyn colledig.

Nid goleu'r haul, nid goleu'r lleuad,
Nid goleu'r dydd, na'r sêr sy'n gwingad,
Ond goleu'r gair a'r fengyl hyfryd,
All dy oleuo i dir y bywyd.

Yma creir crescendo drwy ddefnyddio technegau pentyrru, ailadrodd a chyfochredd yn y tair llinell gyntaf, ac mae'r gwrthgyferbyniad sy'n cyd-fynd â'r cysylltair 'Ond' yn amlygu uchafbwynt y gerdd, sef yr ymadrodd 'Christ yn unig'.

Weithiau creir gwrthgyferbyniad drwy ddefnyddio ffurfiau cadarnhaol a negyddol y ferf, er enghraifft:

Y nêb a gretto yn Grist yn gywyr,
Fe gaiff hwnnw ei gadw yn siccir:
Y nêb ni chredo ynddo'n syth,
Ni chaiff hwnnw ei gadw byth.

Pan fo eisiau a'r fy fola,
Di âe i'r gell i geisio bara;
Pan fo newyn ar dy enaid,
Nid ae i un lle, i geisio ei gyfraid.

Yn y pennill hwn ceir patrwm deublyg. Mabwysiedir techneg ailadrodd a chyfochredd rhwng cwpledi nes eu bod yn cydbwyso. Creir gwrthgyferbyniad drwy gyflwyno'r ffurfiau negyddol — 'ni chredo' a 'Ni chaiff' — yn yr ail gwpled, lle defnyddir y ffurfiau cadarnhaol — 'a gretto' a 'fe gaiff' — yn y cwpled cyntaf.

Yn aml creir gwrthgyferbyniad drwy ddefnyddio'r cysylltair 'Er' gydag elfen arall megis y negydd neu'r cysylltair 'Nes' neu 'Etto'. Er enghraifft:

Er nad oes un Gwâs yn haeddu
Cael un wabar am wasnaethu;
Etto o'i ras mae Duw yn addo
Teyrnas nêf ir rhai gwasnaetho.

Er cael Aur, ac er cael arian,
Er cael Tai a Thiroedd llydan;
Beth wyf nés er cael pob cyfraid,
Nes cael Christ i gadw f'enaid.

Drwy hepgor neu ychwanegu elfen, ac felly newid y gystrawen, creir gwrthgyferbyniad; er enghraifft:

Sonied Milwyr am ryfela,
Sonied Morwyr am dda'r India,
Sonied Carl am lanw ei Gîst,
Sonied Christion byth am Grist.

Yma mae ychwanegu 'byth' yn y llinell olaf yn torri ar draws y patrwm cystrawennol a ailadroddir yn y tair llinell arall ac amlygir felly y gwrthgyferbyniad.

Ac eto yn y pennill canlynol creir gwrthgyferbyniad drwy hepgor 'fe'th' a thorri ar y patrwm yn y llinell olaf:

Dilyn Brophwyd, fe'th oleua;
Dilyn Athro, fe'th gyfrwydda;
Dilyn Sant, fe'th wna di'n sanctaidd;
Dilyn ffol ti ddewi'n ffiaidd.

Defnyddir delweddau neu enwau gwrthgyferbyniol yn aml gydag arddodiaid gwrthgyferbyniol, er enghraifft:

I'r stabal anghymmen, or nefoedd ddisclairwen,
I preseb yr uchen, o'r oruchaf lys,
O blith yr Angelion, i gadw plant dynion,
Y daeth yr oen tirion cariadus.

Dro arall defnyddir ansoddair yn ei ffurf gymharol wedi'i ddilyn gan 'Na(g)'; er enghraifft:

Gwell yw pum gair ag ystyriech
Nag yw deng-mil na's deallech.

Defnyddir y cysylltair 'Ond' neu 'Etto'; er enghraifft:

Parcha'r Saint yn fawr yn fychan,
Ond addola Dduw ei hunan:

Rho anrhydedd gweddus iddynt,
Etto na weddi arnynt.

Yn aml defnyddir y geiryn rhagferol 'Oni' megis yn y canlynol:

Cofia fal y gallse'th daro,
Ag ynfydrwydd nes gwall-bwyllo;
Fal na allassyd ddim o'r cyscu,
Oni basse i Grist ei nadu.

Meddwl fal y gallse Satan,
Yn dy gwsc dy ladd heb yngan;
A'th ddwyn ir farn yn amharod,
Oni basse Grist dy warchod.

Gwelir gwrthgyferbyniad yn gyson mewn cyfres o benillion olynol o fewn cerdd. Yn y gerdd 'Cynghor i Bechadur i ddyfod at Iesu Grist', er enghraifft, defnyddir y cysylltair 'Er' ar ddechrau deunaw pennill.

Yn ogystal â'r holl ddyfeisiau yna, mae themâu a delweddau penillion y Ficer wedi'u mabwysiadu i wasanaethu'r gynulleidfa. Yn nodweddiadol o lenyddiaeth y traddodiad llafar mae'r themâu a'r delweddau'n rhai cyffredin, cyfarwydd a diriaethol — yn hytrach na'n rhai arbrofol, haniaethol. Perthyn rhyw naws gartrefol iddynt.

Nod y Ficer oedd sicrhau fod pob darlun ym weladwy fyw i'w gynulleidfa. Mae ei drosiadau â'i ddelweddau stoc yn syrthio yn fras i dri chategori — sef y rheini sy'n draddodiadol, y rheini sydd wedi'u codi o fywyd bob dydd y bobl gyffredin, a'r rheini sy'n Feiblaidd. Wrth gwrs, mae'r tri chategori yn gorgyffwrdd.

Defnyddir llawer o ddelweddau stoc yn mhenillion *Canwyll y Cymry*. Un ohonynt yw honno sy'n darlunio pechod dyn fel afiechyd a Christ fel meddyg, megis yn y dyfyniadau isod:

> Dangoswch eich dolur ich Prynwr heb aeth,
> Ni bu dan y nefoedd un Meddyg o'i fâth;
> Pob archoll, pob dolur, pob pechod, pob crach,
> A phur waed ei galon fei gyrr yn holl Jach.
>
> Nid oes eli ag a wnaethpwyd,
> Nac un fetswn a ddychmygwyd,
> All Iachau un archoll pechod,
> Ond gwaed Christ, gwir eli'r Drindod.
>
> Er ir lladron speilio d'enaid,
> A'th archolli yn dra embaid;
> Cred yn Ghrist y gwir Samariad,
> Fe iacha d'archollion desprad.
>
> Ni ddichon nac eli, na metswn, na maeth,
> Na phisic, na phlastr, na llysie, na llaeth,
> Na dim ag a enwer, ond Gwaed Iesu Ghrist,
> Iachau archoll pechod, mae'r archoll mor drist.
>
> Ni ddichon meddygon y byd cymain un,
> Jachau archoll pechod, ond mab Duw ei hun.

Hoffa'r Ficer ddefnyddio'r ddelwedd o neidr yn gwenwyno dyn â'i frathiad:

Er ir danllyd sarph dy frathu,
A'th wenwyno nes dy nafu;
Cred yn Ghrist, fe ddofa'r poen,
Fe iacha'r clwyf a gwaed yr oen.

Y sarph â'r afal gynt a'n twyllodd;
Y sarph â phechod a'n gwenwynodd;
Y sarph â'n tynnodd o baradwys;
Y sarph i uffern boeth an gyrrwys.

Nid oedd dim a alle helpu,
Israel gwedi'r Seirph eu brathu,
Ond golwg hyll ar Sarph o brês: . . .

Nid oedd dim a'n helpei ninnau,
Gwedi'n brathu â chol pechodau,
Ond Christ Iesu gwedi hoelio,
Oedd y Sarph yn represento.

Defnyddia'r ddelwedd o fryntni hefyd i gyfeirio at stad bechadurus dyn — Crist yw'r un sy'n golchi pechod i ffwrdd â'i waed, er enghraifft:

Mae pechod mor farnllyd, mor ddrewllyd mor grai,
Yn nyrddo, yn nafu, yn ffecto pôb rhai;
Ni olchir, ni thynnir, ni flottir i maes,
Nes golchi Gwaed Iesu; mae frynti mor gâs.

Ond maddeu'n rasol immi,
Fy meiau ôll a'm brynti;
A golch yn llwyr fy mhen a'm traed,
Yng werthfawr waed ei weli.

Dere at Grist, cais gymmorth gantho,
F'all dy olchi a'th ail greo.

Mae delwedd y Bugail a'i braidd yn un gyffredin arall:

Dafad oeddem aethe ar ddidro,
I blith bleiddiaid i gyrwydro.
O'r wir gorlan ym Mharadwys,
Ar ôl Satan pan ein temptiwys.

Christ yw'r Bugail y ddoe i 'mofyn
Hon i blith bwystfilod scymmyn,
Ac y ddyge'r ddafad adre,
O eneu'r diawl ar ei scwydde.

Christ yw'r Bugail sy'n bugeila
Enaid Christion rhag ei ddifa:
Ni chaiff llew, na blaidd, na llwynog,
Ddwyn o'i braidd, nac oen na mammog.

Sonnir am Grist fel 'Y Bywyd' ac am ddyn yn farw mewn pechod:

Rym ni'n farw yn ein pechod . . .

Christ yw'n Bywyd ôll i gyd . . .

. . . Oni cheisi marw a wnai.

I'n gwaredu rhag marwolaeth, . . .

Ac â'i 'rogle yn rhoi bywyd, . . .

Mae pawb gwedi marw mewn pechod bob pryd, . . .
Nes delo'r Biwiawdwr Christ Iesu i'n bywhau, . . .

Nid oes dyn a ddichon gadw
Ei enaid bach rhag iddo farw,
Nes y caffo gyfnerth Iesu, . . .

Gwna'r peth archo'r fengyl itti, . . .
I gael bywyd a thrugaredd.

Ac ymwrando o Air y bywyd, . . .

Am wasnaethu'r Arglwydd Iesu,
Y mae . . .
. . . gwir fywyd mewn rhialtwch.

Cyfeirir yn gyson at Grist a'i Efengyl fel 'Y Golau' sy'n galluogi dyn i weld er gwaetha'i ddallineb:

Rwyt ti'n gorwedd mewn tywyllwch.
Hêb wir nabod llwybrau heddwch;
Oni oleua Christ ein llwybrau,
Awn i uffern ar ein pennau.

Mae pawb mewn tywyllwch, wrth nattur yn byw,
Dan gyscod yr angau, heb nabod o Dduw;
Mae'n rhaid i Ghrist Jesu'n goleuo â'i râs,
An tynnu o'r twllwch, cyn deler i maes.

Rwyt ti'n gorwedd mewn tywyllwch,
Hêb wir nabod llwybrau heddwch:
Oni oleua Christ ein llwybrau,
Awn i uffern ar ein pennau.

Delwedd boblogaidd arall yw honno o ddyn fel carcharor yng ngharchar tywyll Satan:

> Y mae Satan ynte'n cadw,
> Pob pechadur gwrryw a benyw,
> Yn ei garchar tonnog tywyll,
> Nes del Crist i dorri e yn gandryll
>
> Carcharorion dan law Satan,
> Yn y Dwnshwn mawr yn cwynfan,
> Byth y byssem bawb yn gryddfu, . . .
>
> Mae holl blant dynion dan feddiant y fall,
> Mewn dwngwn ddû, tywyll, yn gorwedd yn ddall,
> Wrth gadwyn o bechod, nes delo mâb Mair,
> I'n tynny o'r dwngwn â'i râs ac â'i Air.

Cyfeirir at Grist yn aml fel maeth dyn —

> Christ yw'r Manna ddaeth o'r nefoedd . . .

ac at Air Duw fel bwyd yr enaid:

> Llêf gan hynny ar y ffeiriaid,
> Am roi bwyd i borthi d'enaid;
> Rwyt ti'n rhoi dy ddegwm iddyn,
> Par i nhwyntau dorri'th newyn.
>
> Gwna di'r gair yn ddysclaid benna,
> Ar dy ford tra fech yn bwytta:
> Gwedi bwytta, cyn cyfodi;
> Bid y gair yn juncats itti.
>
> Fel y porthi'r corph â bara,
> Portha d'enaid bach a'r manna;
> Nad ith enaid hir newynu,
> Mwy nâ'r corph sy'n cael ei fagu.

Crist yw'r Meistr a dyn yw'r gwas:

> Gore Meistr iw wasnaethu,
> Mwya ei barch yw'r Arglwydd Iesu;
> Goreu'n talu taliaid ffyddlon,
> Am wasanaeth idd i weision.
>
> Meistr grassol, Meistr grymmus,
> Meistr rhial gogoneddus,
> Meistr a wna ei holl weision,
> Yn Offeiriaid a Thwssogion.

Pwy gan hynny na wasnaethe,
Grist yn ddyfal ar ei linie?
Rhwn sy'n gwabru ei gywir weision,
A'r fâth deyrnas, â'r fâth Goron.

Er nad oes un Gwâs yn haeddu
Cael un wabar am wasnaethu;
Etto o'i ras mae Duw yn addo
Teyrnas nêf ir rhai gwasnaetho.

Gwâs i Bechod, Gwâs i Gythrel,
Gwâs i Angeu trist trwy drafel,
Yw pob Gwâs sydd yn gwasnaethu,
Na bo Gwâs ir Arglwydd Iesu.

Crist yw prynwr dyn:

Christ a'th Brynodd o law Satan,
A'i wir waed, ac nid ag Arian:
Am i Grist mor brîd dy Brynu,
Rwyt ti'n rhwym ei brûdd wasnaethu.

A chrêd ith Brynwr Jesu,
Yn gwbwl gyflawn dalu,
Ar y groes yn ddigon drûd,
Am feiau'r byd sy'n credu.

Prynodd Christ â Gwaed ei galon,
Yr hôll fyd o'i poenau trwmion . . .

Byddai'r defnydd o drosiad estynedig yn fodd i glymu'r bregeth at ei gilydd ac i ddal sylw'r gynulleidfa. Defnyddia rhai cerddi un trosiad i greu undod thema a mynegiant. Trefnwyd y gerdd 'Cynghor i wasnaethu Duw', er enghraifft, o gwmpas y ddelwedd o ddyn fel caethwas i bechod a Christ fel Meistr. O ganlyniad, mae'r geiriau 'Gwas', 'Gwasanaethu', 'slaf', a 'meistr' yn rhai a ailadroddir yn aml yn y gerdd.

Adeiladwyd y gerdd 'Cynghor i ochelyd cwmpni drwg, &c.' yn bennaf o gylch y ddelwedd o Grist yn arwain y ffordd ar hyd llwybr bywyd a'r geiriau allweddol ynddi felly yw 'Goleuni', 'ffordd', 'llwybyr' a 'tir y bywyd'.

Fodd bynnag, defnyddia mwyafrif cerddi *Canwyll y Cymry* gyfuniad o wahanol drosiadau i drosglwyddo neges arbennig. Er enghraifft, canolbwyntia'r gerdd 'Truenus gyflwr dyn trwy naturiaeth' ar un thema, sef pechod dyn ac iachawdwriaeth Crist, ond defnyddia amrywiaeth o drosiadau a chymariaethau i ddramateiddio'r neges. Defnyddir y delweddau canlynol — dyn fel carcharor yng ngharchar tywyll Satan; dyn yn farw mewn pechod; dyn wedi'i wenwyno gan sarff; enaid dyn fel dafad wedi'i chaethiwo ym mhalfau llew a bleiddiaid neu yn rhwyd Satan; dyn fel gwas i'r diafol, a dyn fel cangen wyllt anffrwythlon.

Defnyddia'r Ficer ddyfais personoli o dro i dro yn ei benillion — eto fel cymorth i ddiriaethu'r neges a'r cysyniadau haniaethol. Personolir angau:

Mae'r Ange glâs ynte yn dilyn ein sodle,
Ai ddart ac ai saethe, fel lleidir disôn,
Yn barod in corddi, ynghenol ein gwegi,
Pan bom ni heb ofni ddyrnodion.

Y mae Angeu'n tannu'n gwely,
Gwedi'n trafferth inni gyscu,
Ac yn rhoddi mawr esmwythder,
Gwedi'r trallod tost a'r blinder.

Y mae Angeu toc yn dattod
Enaid o'r corph caeth i bechod,
Ac heb aros yn cysylltu
Hwn, a'i Briod mawr Christ Jesu.

Personolir yr enaid:

Rho ith enaid nôs a boreu,
Frecffast fechan o'r scrythyreu;
Rho iddo ginio brudd a swpper,
Cyn yr elych ith esmwythder.

O fy enaid meddwl dithe,
Am dy-'mdrwssio yn dy dlwsse,
I fynd o flaen Christ yn addas,
Yng wisc sanctaidd y briodas.

O fy Enaid dywaid immi,
Mewn pryssurdeb, Pam yr ofni,
Fynd at Grist a'i wir Angelion,
O'r byd brwnt a'i holl drallodion.

Personolir pechod:

Gwachel bechod er bychaned,
Colyn Sarph sydd dan ei shiacced:
Plesser byrr a bair hir alaeth;
Cyflog pechod yw marwolaeth.

Clyw mor cuwch y gweidda pechod,
Ddydd a nôs yn glustie'r Drindod,
Ac na ddichon pechod dewi,
Nes dialo Duw ei frynti.

Felly, dyna brif nodweddion mydr, iaith ac arddull penillion y Ficer Prichard. O'u hystyried, gwelwn mai trwy ddeall pwrpas a natur cynulleidfa'r Ficer yn unig y gallwn lwyr werthfawrogi camp y gwaith.

Deallodd Rhys Prichard yn glir mai trosglwyddo gwirioneddau'r Diwygiad ar lafar i'r Cymry cyffredin oedd ei bwrpas — nid creu campweithiau soffistigedig. Meddai:

Am weld Dwfn-waith enwog Salsbury;
Gan y diddysc heb ei hoffi:
Cymrais fessur byrr cyn blayned,
Hawdd iw ddyscu, hawdd iw 'styried.

O gofio hyn, gwelwn fod gwerth digamsyniol y penillion yn gorwedd yn eu huniongyrchedd syml ac ymarferol. Dyna oedd yn cyfri am eu poblogrwydd eithriadol ymhlith y Cymry cyffredin.

Y FICER PRICHARD

LLYFRYDDIAETH FER

(i) Rhai o'r argraffiadau o *Cannwyll y Cymry*

Rhan o waith Mr. Rees Prichard . . Some Part of the works of Mr. Rees Prichard, (Llundain, 1659).
Canwyll y Cymru (Llundain, 1681).
Y Seren Foreu, neu ganwyll y Cymry, (Llanymddyfri, 1770).
Y Seren Foreu neu Ganwyll y Cymry, (Llanymddyfri, 1841).
Y Seren Foreu neu Ganwyll y Cymru, (Llanymddyfri, 1858).
Canwyll y Cymry, (Casnewydd, 1888).
Cannwyll y Cymry, Llyfrau'r Ford Gron, Rhif 9 (Wrecsam, 1931).

(ii) *Am y Ficer a'i waith —*

Ballinger, John, 'Vicar Prichard. A Study in Welsh bibliography', *Y Cymmrodor*, XIII (1899), tt. 1-75.
Edwards, O. M., gol., *Gwaith yr Hen Ficer*, (Cyfres y Fil, (Llanuwchllyn, 1908).).
Edwards, Roger, 'Oriau Gyda Hen Ficer Llanymddyfri, *Y Traethodydd*, II. (1846), tt. 134-155.
Jenkins, John (Gwili), *Ficer Prichard a 'Channwyll y Cymry'*, Cyfres Pamffledi'r Oes, (Aberafon, 1913).
Jones, D. Gwenallt, *Y Ficer Prichard a 'Cannwyll y Cymry'* (Caernarfon, 1946).
Jones, J. Gwynfor, 'Y Ficer Prichard (1579-1644): ei gefndir a'i gyfraniad i'w gymdeithas.' *Y Traethodydd*, Hydref, 1994, tt.235-252.
Parry-Williams, T. H., *Canu Rhydd Cynnar*, (Caerdydd, 1932).
Rees, Eiluned, 'A bibliographical note on early editions of Canwyll y Cymry', *Journal of the Welsh Bibliographical Society*, X/2 (1966-71), tt. 36-41.
idem, *Libri Walliae*, cyfrol I a II, (Aberystwyth, 1987).
Rees, Siwan Non, 'A Study of Rhys Prichard's *Canwyll y Cymry* with special reference to its orality', (Traethawd M. Litt., Prifysgol Rhydychen, 1989).